Mae'r llyfr yma'n arbennig i Gwenno Perkins am ei bod hi'n berson neis iawn iawn, ac mae hi'n mynd i fowlio deg ddydd Sadwrn ac mae lle iddi fynd â ffrind gyda hi. Dwi'n licio bowlio deg hefyd. Peswch, peswch.

Cyhoeddwyd gyntaf yn 2011 gan Egmont UK Ltd,
The Yellow Building, 1 Nicholas Road, Llundain, W11 4AN
dan y teitl *Agatha Parrot and the Floating Head*

Cyhoeddwyd gyntaf yn Gymraeg yn 2016 gan Wasg Gomer,
Llandysul, Ceredigion SA44 4JL
www.gomer.co.uk

ISBN 978 1 78562 058 4

Cyhoeddwyd gyda chymorth ariannol
Cyngor Llyfrau Cymru.

Argraffwyd a rhwymwyd yng Nghymru gan
Wasg Gomer, Llandysul, Ceredigion SA44 4JL

Kjartan Poskitt

Lluniau David Tazzyman

Addasiad Llio Maddocks

Gomer

Mae **Teleri**'n hoff iawn o beintio lluniau o anifeiliaid, ac mae hi'n chwarae ei thrombôn yn uchel *bob bore Sul!*

Mae **Buddug** yn hoffi sglodion a phêl-droed, ac mae hi'n gallu cau ceg unrhyw fachgen pan fydd yn ein poeni ni.

Mae **Mali** (dyma fi!) yn mynd i fod yn actores fyd-enwog, heb os nac oni bai.

Un tro, fe neidiodd **Gwenno** wirion ar un goes 103 o weithiau'n ddi-stop! Does neb yn gwybod pam, ddim hyd yn oed Gwenno.

Mae gan **Elin** ofn bod yn y llyfr yma, am iddi gael breuddwyd bod y tudalennau wedi'u gwasgu hi'n fflat fel crempogen!

Ysgol
Gynradd
Stryd Od

Rhif 1	Rhif 3	Rhif 5	Rhif 7	Rhif 9
Teleri	Buddug	Mali	Gwenno	Elin

YSGOL

CYNNWYS

Hen Rybudd Diflas

Helô, a DIOLCH am ddewis darllen y llyfr hwn. Ond cyn i ni ddechrau, dyma rybudd: Mae'r stori'n dechrau'n ddigon neis, fel hyn . . .

Ddydd Mawrth diwethaf, es i a Gwenno draw i dŷ Buddug i gael swper.

. . . **OND** yn nes ymlaen, mae 'na ddarn lle mae pen Buddug yn ffrwydro! Paid â phoeni, achos er bod un o'r athrawon wedi trio torri'i phen i ffwrdd â bwyell, mae hi'n iawn ac erbyn diwedd y stori mae pawb yn hapus ac yn bwyta hufen iâ.

Ocê? Ti'n hapus? Perffaith.

Sori am y darn diflas yma, ond mae'r un sy'n teipio'r stori i mi'n dweud

bod yn rhaid cael RHYBUDD ar ddechrau'r llyfr. Does dim ots gen i o gwbwl os yw'r llyfr yma'n dy ddychryn di nes bod dy drwyn di'n gwaedu – ha ha! – ond mae'n dweud bod raid dy rybuddio di am Buddug a'i phen achos os na wnawn ni, mi fyddi di'n gallu gofyn i mi am £1000000000 o iawndal (gair da, yndê!). Wel, mi fyddi di'n lwcus i gael iawndal gen i achos dim ond

73c sydd yn fy nghadw-mi-gei, felly dyna ni, dwi wedi dy rybuddio di!

Mae sawl tudalen i fynd nes i'r stori ddechrau, felly mi gyflwyna i fy hun achos mai dyna'r peth cwrtais i'w wneud.

Mali ydw i, a dwi'n actores fyd-enwog. Yr unig broblem yw fod neb wedi sylwi 'mod i'n enwog eto, felly dwi'n gorfod aros yn yr ysgol nes bydd pawb wedi clywed amdana i. Wedyn, mi fydda i'n serennu ym mhob ffilm newydd ac ar glawr pob

cylchgrawn ac yn mynd i'r partis crand i gyd. Ond ar hyn o bryd dwi'n gorfod dysgu am bethau fel y cylch dŵr a thabl 8.

Ddoe, dysgu am y Rhufeiniaid yn ymosod ar Brydain wnaethon ni, ond dwi'm yn deall beth oedd yr apêl, wir. Mae hi wastad yn oer ac yn bwrw glaw yma, a doedd 'na ddim hyd yn oed teledu i'w wylio bryd hynny felly ddylen nhw fod wedi aros adre yn yr Eidal yn bwyta pitsas a hufen iâ yn

yr heulwen! Dim synnwyr cyffredin, dyna oedd eu problem.

Dw i, Gwenno a Buddug yn mynd i Ysgol Stryd Od, sydd reit ar ben y stryd lle rydyn ni'n byw – Stryd Od. Dyna yw enw'r stryd achos mai odrifau sydd ar y tai i gyd: 1, 3, 5, 7, 9, 11, 13, 15 . . . ac yn y blaen. Eilrifau fyddai'r tai ar ochr arall y stryd pe byddai tai yno, ond does 'na ddim.

Mae Gwenno'n dweud nad oes tai yno achos bod rhywun wedi plygu cynllun y stryd yn ei hanner heb i'r adeiladwyr sylwi, a'u bod nhw wedi adeiladu hanner y stryd a meddwl eu bod nhw wedi gorffen, ha ha! Does dim ots nad yw'r stori'n wir, cyn belled â'i bod hi'n gwneud i mi chwerthin, yndê? Mae Nain yn credu bod ganddi dylwyth teg yn byw yn ei simnai, ac mae hi'n hynod o cŵl, felly dyna ni.

Dwi'n byw yn rhif 5 gyda fy

mrawd Ifan (sydd ychydig yn hŷn na mi, ond yn fwy drewllyd o lawer), fy chwaer fach Lili (mae ganddi hi ffrog bale binc sgleiniog, sy'n dweud y cyfan!), a dau arall, sy'n gweini arna i ddydd a nos (h.y. Mam a Dad), ond dyw 'nheulu i ddim yn rhan o'r stori yma felly gei di anghofio amdanyn nhw.

Buddug sy'n byw drws nesaf yn rhif 3, ac mae hi'n fawr ac yn wên o glust i glust

drwy'r amser, hyd yn oed pan fydd hi'n ymladd yn erbyn y bechgyn. Wedyn, yn rhif 7 yr ochr arall i ni mae Gwenno wirion bost sydd o hyd yn neidio dros ei giât neu'n hongian oddi ar ei lein ddillad. Wa-hŵ –

AMDANI, GWENNO!

Mae 'na lot mwy o bobl i'w cyfarfod, ond mi gei di glywed amdanyn nhw yn nes ymlaen. Mae 'na lawer o bethau eraill yn digwydd yn ogystal â phen Buddug yn ffrwydro, fel y balŵn sy'n cael marciau llawn yn y prawf sillafu, a'r athrawes ddwl sy'n achub y byd rhag carpedi gwlyb, ond i ddechrau, dyma stori'r pitsa afiach. Pa mor afiach? Dyma gliw i ti:

Be ti'n ei gael wrth groesi tomen sbwriel a gwely'r môr?

Dim syniad? Paid â phoeni, gei di'r ateb ymhen dim. I ffwrdd â ni, felly . . .

Y Dechrau

Dydd Mawrth diwethaf, es i a Gwenno draw i dŷ Buddug i gael swper. Mae mam Buddug yn gweithio yn siop fwyd Byd y Bunt, lle mae 'Popeth yn bunt ym Myd y Bunt'. Ond mae'r rhan fwyaf o bobl yn cerdded i mewn, edrych o'u cwmpas, yna'n cerdded yn syth allan eto heb wario ceiniog heb sôn

am bunt. Y peth drwg yw, bod y siop yn llawn o fwydydd rhyfedd nad oes neb wedi clywed sôn amdanyn nhw, ond y peth da yw bod mam Buddug yn cael dod â lot o fwyd od adre gyda hi er mwyn i ni gael ei flasu.

Y noson honno, roedd mam Buddug wedi prynu tri phitsa caws a thomato. Cyn eu coginio, agorodd

gypyrddau'r gegin i gyd gan dynnu bob potyn, jar a phecyn oedd ar eu hanner, a'u rhoi ar y bwrdd mewn rhes. 'Beth am greu eich pitsas eich hunain?' meddai hi. Mae mam Buddug yn fawr ac yn llon, yn union fel Buddug.

Gan fod y geiriau ar labeli'r potiau mewn ieithoedd rhyfedd, yr unig ffordd i wybod beth oedd y tu mewn oedd drwy eu hagor ac edrych. Marmalêd oedd yn y potyn cyntaf i mi edrych ynddo, sydd ddim yn rhy ddrwg ar bitsa. 6/10 am hwnnw. Daeth Gwenno o hyd i ham a phupur coch (8/10), pîn-afal (10/10) a cheirios coch mewn surop (2/10, ond mae Gwenno WRTH EI BODD â nhw achos ei bod hi'n wirion bost).

Roedd pitsas y tair ohonon ni bron

yn barod. Ro'n i wedi gwneud patrwm pry cop, Buddug wedi gwneud enfys, a Gwenno wedi gwneud wyneb gyda gwallt gwyllt o sgabeti (neu sbategi? Sgatebi? Stagebi? O, ti'n gwybod be dwi'n trio'i ddweud – y peth hir melyn 'na ti'n ei fwyta gyda sos bonolês. Bolnonês. Bonlolês. O, TWT LOL!) Mi ddwedodd Gwenno mai fy wyneb i oedd o, am fod gen i wallt gwyllt, blêr fel gwallt Mam. O leiaf mae'n well na chael gwallt fel Dad sy mor foel â chopa mynydd. Ha ha!

Wedyn, daeth Buddug o hyd i jar fach o stwff pinc a melyn, a hwnnw'n fwy drewllyd na sanau pêl-droed Ifan (0/10).

'Does dim peryg 'mod i am fwyta HWNNA!' ebychodd Gwenno.

'Hen fabi,' meddai Buddug.

'Wel, rho beth ar dy bitsa DI,' meddai Gwenno.

Dechreuodd Buddug bendroni. 'Ond dwi wedi rhoi pîn-afal, betys, selsig garlleg, banana wedi sychu, picl a jam mafon ar y pitsa yn barod.

Be os dwi'n difetha'r blas wrth ychwanegu rhywbeth arall?'

Dyma fi'n craffu ar y label. Yr unig beth ro'n i'n gallu ei ddeall oedd y dyddiad gwerthu oedd yn bell, bell i ffwrdd, felly beth bynnag oedd y stwff pinc a melyn, roedd o'n saff i'w fwyta.

Prociodd Gwenno ochr Buddug yn ysgafn. 'Dere, Buddug, wyt ti am ei drio? Mi wna i roi miliwn biliwn o bunnau i ti!'

Ha! Mi fyddai Buddug yn bwyta'i phen ei hun am 20c, felly am filiwn biliwn o bunnau mi arllwysodd y stwff pinc a melyn dros ei phitsa (ac YCH A FI, roedd yn drewi!).

Fe ddwedodd mam Buddug y byddai'r pitsas yn barod mewn deng munud, felly dyma ni'n dechrau siarad am y trip. Dim ond tridiau oedd ar ôl cyn gwyliau hanner tymor a hyd yn hyn, doedd yr un person o'n dosbarth ni wedi bod yn absennol o'r ysgol – dim unwaith. Fel gwobr arbennig roedd Miss Penchwib wedi addo mynd â ni i gyd i'r amgueddfa i weld y mymïaid Eifftaidd, cyn belled â bod neb yn absennol o'r ysgol yn y tridiau nesaf. Brensiach y bwganod!

'Mi fetia i bydd un o'r bechgyn gwirion 'na'n mynd yn sâl ac yn difetha popeth,' meddai Buddug yn flin. 'Chi'n cofio llynedd, pan drawodd Math ei hun yn anymwybodol wrth chwarae pêl-droed?'

Hmmm . . . atgof ychydig yn wahanol o'r digwyddiad oedd gan Gwenno a fi – Buddug oedd yr un drawodd Math yn anymwybodol. Fe giciodd yntau'r bêl ar draws yr iard a tharo coes Buddug nes bod ei throwsus yn fwd i gyd a'r bechgyn yn chwerthin am ei phen. Felly ciciodd Buddug

y bêl yn ôl i'w cyfeiriad nhw YN GALED a chyn i ni droi rownd, roedd Math yn eistedd yn y cyntedd yn dal pecyn o rew ar ei dalcen. Ha Ha, gwych!

'Ar fy llw,' meddai Buddug, 'os fydd Math yn difetha popeth eto, fe ladda i o. Wel, na, ddim ei ladd o, ond ti'n gwybod be dwi'n trio'i ddweud.'

Cyn pen dim, roedd y pitsas allan o'r popty ac yn cael eu torri'n sleisys mawr blasus. Llowciodd Buddug ei phitsa hi mewn un, ac roedd Gwenno'n edrych yn boenus wrth gofio bod rhaid iddi roi miliwn o bunnau i'w ffrind. Yna, daeth mam Buddug i'r gegin a gweld y jar fach wag ar y bwrdd.

'A-ha!' meddai hi, wedi'i synnu braidd. 'Ry'ch chi wedi gorffen y past octopws 'te.'

'*Past octopws*?' ebychodd Buddug.

Dechreuodd Gwenno chwerthin a dawnsio fel pysgodyn o amgylch y gegin. 'Waw! Ydy Buddug am dyfu wyth braich?'

Wel, dyna syniad. Brensiach! Ond os byddai Buddug yn tyfu wyth braich, mi fyddai hi'n fwy dychrynllyd byth! Anhygoel!

Syllu i Lawr y Sinc

Amser cinio drannoeth, roedd pawb yn eistedd yn neuadd yr ysgol. Mae'r neuadd yn cael ei defnyddio ar gyfer popeth – cyngherddau, ymarfer pêl-droed a'r gwasanaeth, felly mae pob math o bethau'n cael eu gadael yno, fel rhaffau ymarfer dringo, byrddau wedi'u plygu, piano plinci-plonci, a

thaflunydd mawr ac arwydd arno'n dweud **PLANT – PEIDIWCH Â CHYFFWRDD!** sydd ddim yn broblem achos mae'n edrych yn ddiflas – ddim mor gyffrous â pheir-iant gwneud siocled, neu gyfrifiadur cŵl, neu chwythwr swigod – Waw!

Mae 'na bentyrrau o gadeiriau ar hyd ochr y neuadd hefyd. Dim ond pum cadair sydd i fod mewn pentwr, ond mae Cawdel, y glanhawr, yn hoffi bod yn fentrus.

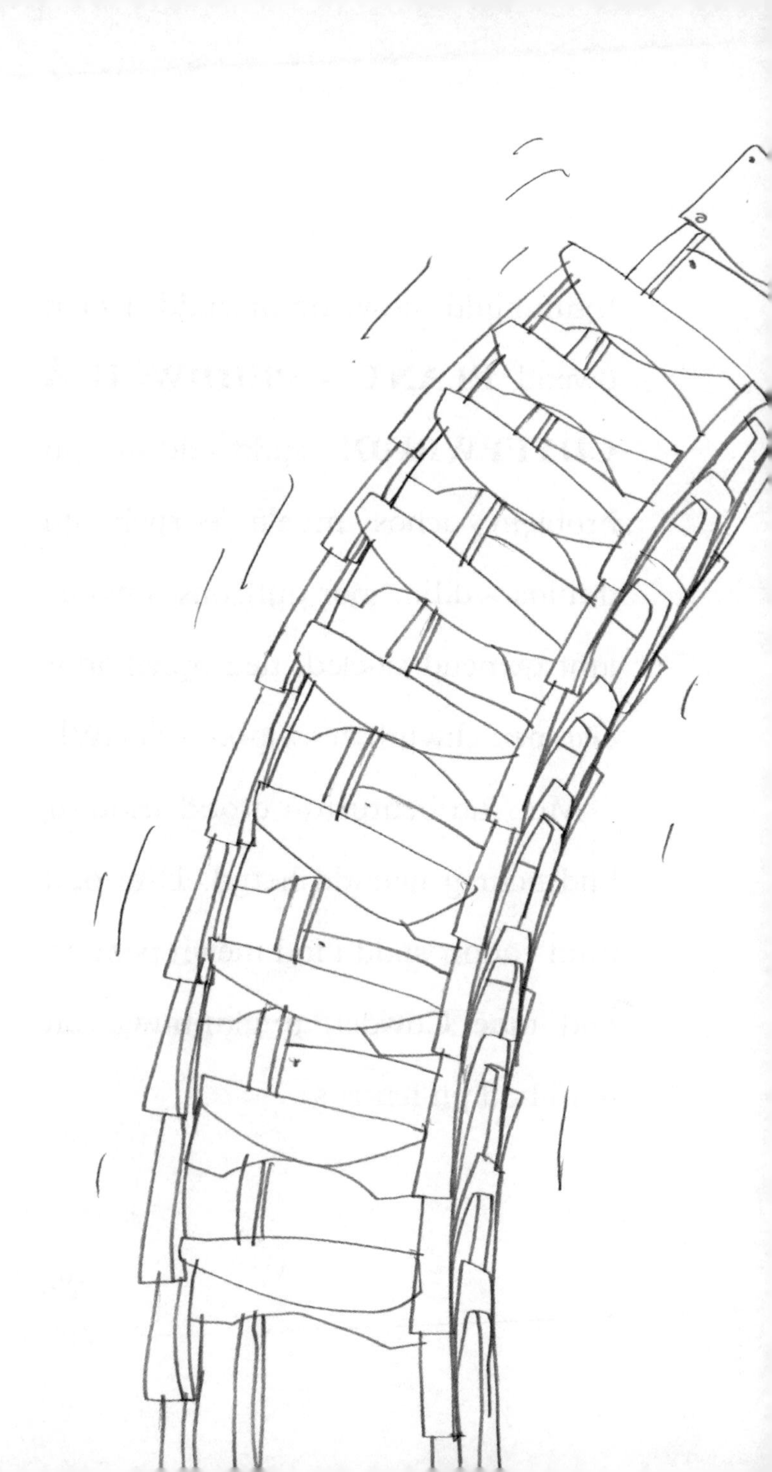

Y bore hwnnw, roedd Cawdel wedi gwneud pentwr anferth a simsan o **NAW** cadair! Mae'n siŵr mai tua dau ddeg dau neu ddau ddeg tri yw record y byd, achos os byddai'r pentwr cadeiriau'n uwch na hynny byddai'n rhaid cael twll yn y nenfwd. Ond mae naw cadair yn dipyn o gamp i Cawdel, ac yn siŵr o fod yn record bersonol – clap clap clap.

Yn ôl at y stori – ro'n i a Gwenno'n bwyta brechdanau'n ddistaw bach yn y gornel a **CLATSH!** – llithrodd Rhodri Jones ar bapur bisgedi a disgyn yn bendramwnwgl i ganol pentwr cadeiriau Cawdel a syrthiodd yn swp am ei ben, ha ha. Roedd yn gorwedd ar y llawr yn rhwbio'i ben-glin ac yn cwyno'n uchel, ac ro'n i a Gwenno'n ei anwybyddu'n llwyr. Yna daeth Miss Twtlol i'r golwg. **O NA!**

Mae gan Miss Twtlol wallt byr du a sbectol fawr fel dwy soser, ac mae ganddi ffolder drwchus yn ei

llaw bob amser sy'n llawn ffurflenni a phamffledi diflas. Anaml iawn y bydd hi yn yr ysgol achos hi yw'r ddirprwy brifathrawes, ac mae hi'n mynd ar gyrsiau byth a beunydd i ddysgu am *faterion pwysig*. Un tro, aeth Miss Twtlol ar gwrs tridiau mewn gwesty er mwyn dysgu am *faterion maeth*, yna daeth hi 'nôl i'r ysgol i roi sgwrs ddiflas, ddiflas i ni am bwysigrwydd peidio â bwyta creision i frecwast. Dylai hi beidio â rhoi syniadau gwirion yn ein pennau

ni, mewn difri calon! I frecwast y bore wedyn, fe gafodd Buddug lond powlen anferth o greision caws a nionyn a llaeth yn lle'r grawnfwyd arferol – blasus iawn, meddai hi, er bod yn rhaid iddi eu bwyta'n gyflym gyflym cyn iddyn nhw fynd yn rhy llipa.

Syllodd Miss Twtlol ar Rhodri, yna ar y papur bisgedi, ond beth wnaeth hi wedyn? Aeth hi i nôl y bocs cymorth cyntaf? Naddo. Aeth hi i ffonio ambiwlans? Naddo. Wnaeth hi daflu Rhodri dros ei hysgwydd a'i gario i'r

I + D

ysbyty agosaf? NADDO! Dyma hi'n agor ei ffeil a dechrau chwilota am ffurflen damwain-papur-bisged.

'Ddwedais i y byddai hyn yn digwydd ryw ddiwrnod,' dwrdiodd Miss Twtlol o dan ei gwynt wrth i Rhodri ddal i gwyno'n uchel ar lawr. 'Ddwedais i wrth Mrs Boncyff am gael gwared ar bob papur bisged a'u rhoi nhw mewn bin diogel, ond wnaeth hi wrando arna i?'

Roedd Rhodri ar fin gwneud mwy o ffŷs swnllyd, ond gan ei fod yn ein dosbarth ni sylweddolais i a Gwenno fod yn rhaid i ni wneud rhywbeth. Martsiodd y ddwy ohonon ni ato, a rhoi braich yr un o dan ei geseiliau a'i dynnu i fyny ar ei draed.

'Mae Rhodri'n iawn,' meddwn i.

'Ond mae'n rhaid iddo gael archwiliad trwyadl,' meddai Miss Twtlol. 'Bydd angen iddo lenwi ffurflen ddamwain, ac yna bydd raid iddo fynd adre i'w wely.'

'Dim gobaith,' meddai Gwenno gan ysgwyd ei phen. 'Mi wneith awyr

iach fyd o les iddo. Awn ni i redeg o amgylch yr iard unwaith neu ddwy, yndê, Rhodri?'

Ysgydwodd Rhodri'i ben.

'O, dwyt ti *ddim* eisiau mynd allan i redeg?' meddai Gwenno. 'Wel dyna newyddion da, yndê, Miss Twtlol? Mae'n rhaid ei fod yn teimlo'n well yn barod.'

Da iawn, Gwenno! Llusgodd y ddwy ohonon ni Rhodri o afael Miss Twtlol, wrth iddo yntau esgus ei fod yn gloff i gael mwy o sylw.

'Cerdda'n iawn,' chwyrnodd Gwenno. 'Mae hi'n dal i'n gwylio ni, ac os bydd hi'n dy yrru di adre chawn ni ddim trip i'r amgueddfa.'

'Ti'n lwcus nad yw Buddug yma,' meddwn i. 'Mi fyddai hi wedi gwneud i ti redeg rownd yr iard am oriau.'

Dihangodd Rhodri o'n gafael a stompio i ffwrdd. Roedd yn pwdu cymaint nes iddo anghofio'i fod yn gloff, **ha ha twmffat!**

Ond yna sylweddolais fod Buddug ar goll. Ble roedd hi? Doedd hi byth

yn methu amser cinio fel arfer. Dyna pryd ddaeth Teleri Tomos at Gwenno a minnau â golwg ddifrifol ar ei hwyneb.

'Roedd hi'n toileg i'r rhededau.'

Ry'n ni'n caru Teleri. Dydyn ni ddim wastad yn ei deall hi, ond yn ei charu hi'r un fath. Tria eto, Teleri . . .

'Roedd hi'n tedeg i'r rhoiledau.'

Waa! Drapia! Dim rhyfedd fod Teleri'n edrych mor ddifrifol. Ceisio dweud oedd hi fod Buddug yn rhedeg i'r toiledau. Rhedais i a

Gwenno yno i chwilio amdani, a dyna lle roedd hi â'i phen yn y sinc yn edrych yn welw. Roedd hi'n llipa fel deilen letys ac ro'n i'n gobeithio nad oedd unrhyw un wedi'i gweld hi, ond roedd hi'n rhy hwyr. Roedd rhywun arall eisoes yn y toiledau. Gwenfair Crach.

Mae Gwenfair yn byw ar Stryd Od hefyd, reit ar ben arall y stryd, yn rhif 59. Ond doedd rhif ddim yn ddigon ffansi i deulu'r Crach. Yn wahanol i bawb arall ar y stryd roedd yn rhaid iddyn nhw roi enw ar eu tŷ nhw. Wyt ti'n barod i glywed yr enw? *La Déchetterie.* Yn ôl y sôn, gwelodd mam Gwenfair yr enw ar arwydd yn Llydaw tra oedden nhw ar eu gwyliau, ond does neb arall yn gwybod sut i'w ddweud yn iawn.

Mae Gwenfair mewn dosbarth gwahanol, felly doedd hi ddim yn cael mynd i weld y mymïod ac roedd hi wedi bod yn pwdu drwy'r wythnos. Ar Gwenfair roedd y bai, beth

bynnag, am fynd i sgïo am wythnos gyda'i theulu yng nghanol y tymor tra oedd pawb arall yn gorfod mynd i'r ysgol fel plant da. Ond roedd hi'n dal i gwyno mwy na neb – dyna'r fath o ferch oedd hi.

Syllodd Gwenfair ar Buddug a gwgu. 'Beth sy'n bod arni hi?' gofynnodd yn bigog.

'Dim byd,' meddwn i. Byddai Gwenfair wrth ei bodd yn clywed am salwch Buddug felly rhaid oedd meddwl am esgus da! 'Mae hi'n hoffi

syllu i lawr y sinc, dyna'i gyd yndê, Buddug? A dweud y gwir, dwi'n hoffi gwneud yr un peth.' Stwffiais fy mhen i mewn i'r sinc drws nesaf. 'Www, dyma un neis.'

Rhoddodd Gwenno ei phen yn y sinc yr ochr arall hefyd. 'Mae hon yn well fyth!' meddai hi, cyn mynd dros ben llestri braidd. 'O waw, am sinc cŵl, gwych, gwallgo, gwirion!'

'Dy'ch chi ddim yn gall,' meddai Gwenfair cyn tynnu wyneb a gadael, diolch byth.

Helpodd Gwenno a finnau Buddug i sefyll yn syth, ond roedd ei hwyneb hi'n dal yn llwyd. Tase unrhyw un yn clywed ei bod hi'n sâl, byddai'n cael ei gyrru adre a'r trip yn cael ei ganslo!

'Dwi'n gwybod pam dy fod ti'n teimlo'n sâl, Buddug,' meddai Gwenno. 'Yr hen bast octopws 'na, yndê? Octopws, octopws, octopws . . .'

Roedd Buddug yn troi'n fwy a mwy gwyrdd, ond doedd Gwenno

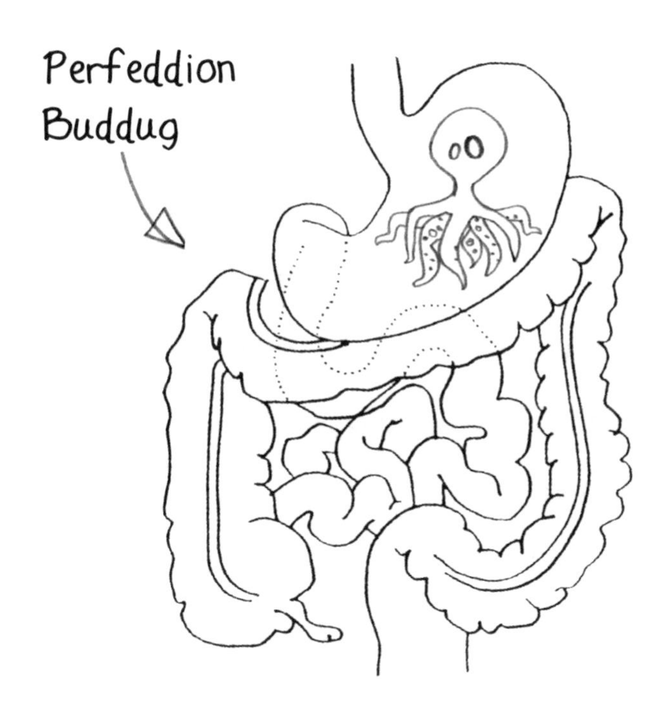

ddim am gau ei cheg. 'Dychmyga gael darnau bach o freichiau octopws y tu fewn i ti!'

Roedd llygaid Buddug yn troi a minnau'n gorfod ei dal hi – gwaith

anodd am fod Buddug yn ferch gref, os wyt ti'n fy neall i. 'Paid, Gwenno,' meddwn i, ond dechreuodd hithau chwifio'i breichiau o gwmpas fel peth gwirion.

'Hei, beth os yw'r breichiau'n dod yn fyw tu mewn i ti? Blopi blip blwpi blop blop . . .'

WPSI PWPSI! Saethodd pen Buddug yn ôl i mewn i'r sinc.

'Diolch byth,' meddai Gwenno. 'Os yw hi'n sâl, dyna ddiwedd ar y miliwn biliwn o bunnau wedyn.'

'Y ffŵl gwirion,' meddwn i. 'Os welith un o'r athrawon ei bod yn sâl, bydd raid iddi fynd adre. Cer i gadw llygad ar y drws – brysia!'

Gwibiodd Gwenno i wneud yn siŵr nad oedd neb ar gyfyl y lle, a dyma finnau'n arllwys tipyn o ddŵr oer ar wyneb Buddug. Sythodd unwaith eto ac anadlu'n ddwfn.

'Argol, cael a chael oedd hi'n fan'na,' ebychodd.

'Paid â phoeni,' meddwn i wrthi. 'Ond cofia y bydd raid i ti aros yn iach am weddill y pnawn. Mae gen i syniad, ond bydd angen tipyn o help arnon ni.'

Yr Oerfel Chwilboeth

Erbyn i'r gloch ganu, roedd Gwenno wedi llwyddo i gorlannu'r criw i ddweud wrthyn nhw beth oedd wedi digwydd, a beth oedd angen ei wneud. Helpais Buddug i gyrraedd y dosbarth, a'i rhoi hi i eistedd yn sedd Elin Llwyd wrth y ffenest, heb i Miss Penchwib

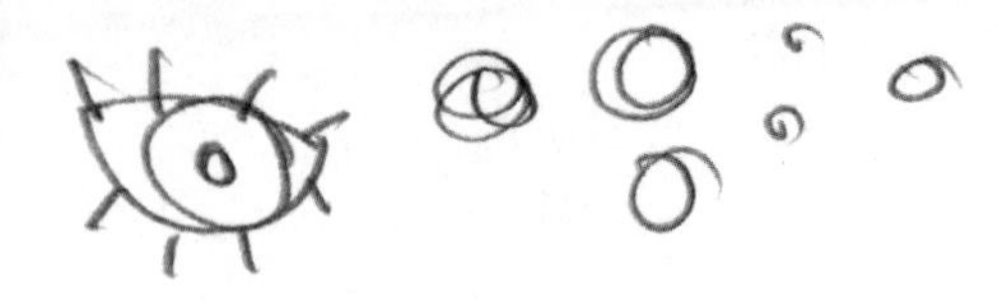

sylwi. Mae hi'n athrawes newydd a'i gwallt hi'n newid lliw bob wythnos ond does ganddi ddim syniad sut i ddefnyddio'r cyfrifiadur. Roedd hi ar ganol cweryl gyda'r bwrdd gwyn electroneg am ddangos cerdd am gnau yn lle gwers am dabl 8, felly sylwodd hi ddim fod wyneb Buddug yn troi'n wyrdd eto.

'Gawn ni agor y ffenest?' holais.

'I be?' meddai hi. (Lliw gwallt yr wythnos hon, gyda llaw = oren fel dail yr hydref. Neis iawn, wir.)

'Ry'n ni mor boeth,' meddwn i.

'Poeth? Wir?' Edrychodd Miss Penchwib i fyny a gweld y merched i gyd yn sychu'u talcen â'u llewys. Roedd Gwenno'n pwyso'n ôl yn ei chadair ac yn anadlu'n swnllyd fel tasa hi ar ei gwely angau – braidd dros ben llestri eto. Beth bynnag, dim ond blwyddyn yn ôl wnaeth Miss Penchwib raddio o'r coleg, felly mae hi'n hawdd ei thwyllo, druan.

'Mae'n siŵr mai'r cynhesu byd-eang roeddech chi'n sôn amdano

Sillafu

ddoe sydd ar fai,' meddwn i. 'Ry'ch chi'n athrawes mor dda.'

'Ydw i?' gofynnodd Miss Penchwib gan edrych yn falch iawn ohoni'i hun.

'Wrth gwrs – achos ry'n ni i gyd yn berwi!' cytunodd Gwenno. Cytunodd y merched eraill i gyd hefyd, ond roedd y bechgyn yn syllu'n syn.

'Dwi'n oer,' cwynodd Math.

'A finnau,' meddai Llion a'r bechgyn eraill.

'Ewch i nôl siwmper o'r Bocs Dillad Sbâr, 'ta,' meddai Gwenno. Roedd

y Bocs Dillad Sbâr yn Swyddfa Cawdel yn llawn o hen siwmperi tyllog, drewllyd.

'YCH! NA! DIM DIOLCH!' meddai'r bechgyn i gyd fel parti llefaru.

'Gawn ni agor y ffenest 'te?' gofynnais eto.

'Pam lai,' meddai Miss Penchwib, a'r eiliad honno fe welodd hi Buddug yn eistedd wrth y ffenest. 'Pam wyt ti'n eistedd yn sedd Elin, Buddug?'

Roedd Buddug yn teimlo'n rhy sâl

i'w hateb, felly rhoddodd Gwenno ei phig i mewn. 'Roedd 'na bry copyn ANFERTH ar y sil ffenest, a gofynnodd i Buddug newid lle â hi, rhag iddi gael ei dal ganddo a'i BWYTA I GINIO, yndô, Elin?'

Nodiodd Elin ei phen a chochi.

'Mae'n siŵr ei fod yn bry cop *mawr iawn*, felly,' wfftiodd Miss Penchwib.

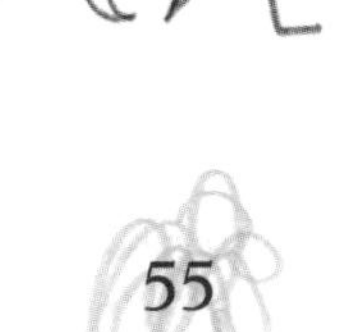

O fewn eiliadau roedd y ffenest ar agor ac roedd

Buddug yn teimlo'n well o lawer wrth i'r awel oer oglais ei hwyneb.

Pwysodd Gwenno tuag ata i a sibrwd, 'Mae'r cynhesu byd-eang 'ma'n fy ngwneud i'n oer ofnadwy! Gobeithio bydd Buddug yn teimlo'n well erbyn fory.'

Ond doedd hi ddim.

Wystrys a Welingtons

Fore trannoeth, daeth Gwenno i gnocio ar ddrws y ffrynt, a rhedodd y ddwy ohonon ni'n syth i gnocio ar ddrws rhif 3 i wneud yn siŵr fod Buddug yn barod i fynd i'r ysgol.

'Mae'n ddrwg gen i,' meddai mam Buddug ar stepen y drws, 'ond fydd Buddug ddim yn mynd i'r ysgol heddiw. Fedrwch chi fynd â nodyn i Miss Penchwib?'

'Dwi'n siŵr ei bod hi'n iawn,' meddai Gwenno'n obeithiol.

'Gysgodd hi'r un winc neithiwr,' esboniodd mam Buddug. 'Fedrith hi ddim codi o'i gwely. Dewch i mewn i mi gael sgrifennu nodyn.'

I mewn â ni i'r cyntedd tra bod mam Buddug yn brysio i'r gegin i ddod o hyd i bapur a beiro. Wrth iddi fynd o'r golwg daeth Buddug i lawr y grisiau yn ei phyjamas.

‘Haia, Buddug!’ meddwn i. ‘Ti’n edrych yn iawn i mi. Brysia, gwisga dy wisg ysgol, a wnawn ni aros amdanat ti.’

‘Pnawn da, Dad,’ meddai Buddug, wrth syllu ar Gwenno. ‘Mae’r welingtons ’ma’n gwneud i mi chwerthin.’

‘Be?’ meddai Gwenno.

‘Buddug, ni sy ’ma!’ meddwn i.

‘Es i i nofio yn fy sgidiau ddoe,’ aeth Buddug yn ei blaen. ‘Lwcus fod yr octopws yn cysgu, yndê?’

‘Octopws?’ holodd Gwenno’n ddryslyd. ‘Ydy hi wedi tyfu wyth braich wedi’r cyfan?’

‘Na’di!’ atebais. ‘Cael hwyl am ein pennau ni mae hi – da iawn, Buddug. Hei, fe fydd pawb yn yr ysgol wrth eu boddau

â dy jôcs gwirion di! Reit ’ta – sgert, crys, sgidiau, bag ysgol, ac i ffwrdd â ni . . .’

‘Ond mae’n rhaid

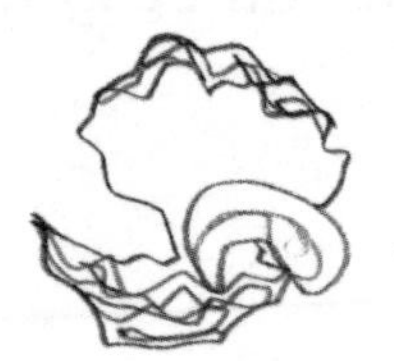

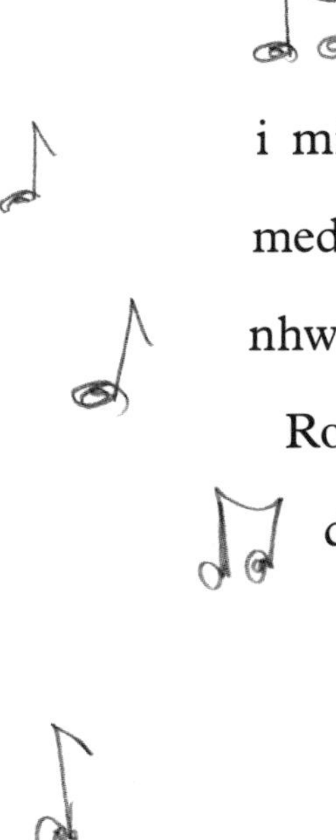

i mi gyfri'r wystrys yn gyntaf,' meddai Buddug, 'neu mi fyddan nhw wedi dechrau canu.'

Roedd ymddygiad Buddug yn dechrau 'mhoeni i. Gafaelais yn ei llaw a chodi'i braich ond roedd hi'n llipa fel letysen. Pan ollyngais fy ngafael, disgynnodd ei braich yn ôl i'w lle yn ddifywyd.

'Wel, well i mi fynd i weld yr esgimos,' meddai Buddug, ac yn ôl â hi i fyny'r grisiau. Od iawn!

Yna daeth mam Buddug i mewn i'r cyntedd a dweud, 'Sori nad ydy Buddug o gwmpas i'ch gweld chi ond fe syrthiodd hi i gysgu ryw awr yn ôl ac roedd hi'n cerdded yn ei chwsg wrth i chi gyrraedd.'

Cerdded yn ei chwsg! Roedd hynny'n esbonio ymddygiad rhyfedd Buddug. Ceisiodd ei mam roi'r nodyn i mi, ond doedd hynny'n dda

i ddim! Roedd yn RHAID i Buddug ddod i'r ysgol, rywsut . . .

Dechreuais dynnu cyrls fy ngwallt – dyna sut dwi'n deffro f'ymennydd pan mae'n cysgu. A wir – mi ges i syniad! Roedd yn syniad gwallgo, hwn oedd ein hunig gyfle. 'Sori,' meddwn i wrth fam Buddug. 'Dwi newydd gofio bod 'y mhocedi i'n llawn dop, a rhai Gwenno hefyd. Dyna biti – does dim lle i roi'r nodyn, oni bai . . .'

'Oni bai be?' gofynnodd mam Buddug.

'Oni bai ein bod ni'n cael benthyg côt Buddug.'

Roedd côt newydd Buddug yn hongian ar un o'r pegiau yn y cyntedd. Hon oedd y gôt fwyaf adnabyddus yn yr ysgol am ei bod hi'n hir ac yn las llachar â smotiau melyn arni, ac i goroni'r cyfan roedd ganddi hwd mawr. Gei di weld pam roedd yr hwd mor bwysig mewn munud.

'Ddo' i â'r gôt yn ôl heno. Dwi

’mond ei hangen hi er mwyn rhoi’r nodyn yn un o’r pocedi, a hefyd fydda i’n siŵr o gofio rhoi’r nodyn i Miss Penchwib os bydda i’n cario côt Buddug. Fel’na mae ’mhen i’n gweithio weithiau.’

Roedd mam Buddug yn edrych arna i’n syn. ‘Wel, os oes raid i ti . . .’

‘Oes, mae’n bwysig – hanfodol hyd yn oed,’ eglurais, gan dynnu’r gôt oddi ar y peg. ‘Ddown ni â hi ’nôl heno, dwi’n addo!’

Ddeng munud yn ddiweddarach, mi fyddet ti wedi fy ngweld i a Gwenno'n cerdded i mewn i'r ysgol a Buddug rhyngon ni, yn gwisgo'i chôt enwog, a'i breichiau am ein hysgwyddau ni. O leiaf, dyna fyddet ti wedi'i feddwl! Ha ha, dirgelwch dirgel! Da-da-DAAAA! Perffaith!

Mae Fol Bartha yn Malŵn

Roedd Gwenno wedi cynhyrfu. 'O na. O na. O na. O na. Dydy hyn ddim yn mynd i weithio, dim gobaith!' cwynai. 'O na. O na . . .'

'Ydy, mae o,' meddwn i. 'Yn dydy, Buddug?'

Roedd 'Buddug' yn eistedd yn fud ar y fainc yn ei chôt las a melyn. Y rheswm am hynny oedd am mai balŵn oedd ei phen – balŵn oedd yn cuddio o dan yr hwd a wyneb wedi'i sgriblo arno â phin ffelt a sgarff wedi'i lapio o gwmpas y balŵn, er mwyn edrych yn debyg i'r Buddug go iawn. Gwych! Ro'n i wedi dwyn cwrlid gwely Ifan, fy mrawd, er mwyn ei stwffio i mewn i gôt Buddug, gan fod Buddug yn eithaf crwn ac yn sgwishi fel cwrlid mawr cyfforddus! Ro'n

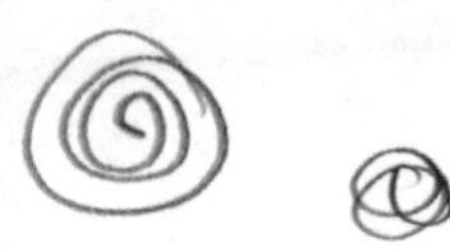

i wedi llenwi hen bâr o drowsus â phapurau newydd Dad ac wedi pinio menig i ben y llewys, a Gwenno wedi clymu sgidiau i waelod y trowsus yn ofalus. Daeth Teleri i mewn â'i chôt i'r cyntedd. Dyma'r cyfle cyntaf i roi 'Buddug' ar brawf!

'Haia, Buddug,' meddai heb edrych o'i chwmpas. 'Wyt ti'n weimlo'n tell?'

Rhoddais fraich am ysgwydd Buddug ac eistedd wrth ei hymyl. 'Teimlo'n well, ti'n feddwl, ia?' holais.

'Ydy, mae Buddug yn iawn – wedi colli'i llais, yn dwyt ti, Buddug?' Sticiais fy nghlust reit o flaen y balŵn gan esgus gwrando'n astud. 'Be ddwedaist ti, Buddug? O ia, dwi'n siŵr y cei di wisgo dy gôt. A dweud y gwir, mae hi'n ofnadwy o oer yma, felly mi gaiff pawb wisgo'u cotiau!'

Edrychodd Teleri arna i'n syn. 'Dwi'm yn woer, dwi'n ffwilboeth!'

'Sori, Teleri, fedri di ddim bod yn chwilboeth heddiw. Mae'n rhaid i ti fod yn oer.'

'Oer?' gofynnodd Teleri. 'Ond pam?'

Rhoddodd Gwenno bwniad bach i'n ochr i, y math o bwniad oedd yn trio dweud, 'Mae'n rhaid i ni esbonio'r cynllun wrth Teleri.' Doedd gen i ddim dewis ond cytuno am fod Teleri'n eistedd wrth ymyl Buddug yn y dosbarth. Aeth Gwenno i warchod drws y cyntedd wrth i mi ddatod sip y gôt las a melyn.

'Mae fol Bartha yn malŵn!' ebychodd Teleri.

'Hisht!' meddwn i. 'Nage, ei phen

hi yw'r balŵn, a chwrlid yw ei bol hi. Mae'r Buddug go iawn yn sâl yn ei gwely, ond mae'n rhaid i'r athrawon gredu ei bod hi yma – i ni gael mynd ar y trip! Hon yw'r Buddug Arall sy'n mynd i'n helpu ni heddiw. Mae'n rhaid iddi gadw ei chôt amdani drwy'r dydd, felly bydd raid i bawb esgus ei bod hi'n oer.'

Chwarae teg i Teleri, mi wisgodd ei chôt yn syth, yna daeth Elin i mewn ac mi esboniais y cynllun eto ac mi gadwodd hithau ei chôt amdani hefyd. Elin druan, mae hi wastad mor nerfus ac mae pethau fel hyn yn gwneud i'w choesau grynu fel jeli.

'Mi fydd popeth yn iawn, Elin,' meddwn wrthi. 'Ti'n dda iawn am actio bod yn oer.' Ac roedd hynny'n wir – roedd ei phengliniau bach hi'n taro yn erbyn ei gilydd fel castanéts.

'Nid oer mae Elin,' meddai Gwenno. 'Crynu gan ofn mae hi.'

'Ofn be?'

'Ofn edrych yn wirion!' atebodd Gwenno. 'Ddoe, roedd y dosbarth yn rhy boeth a heddiw mi fydd hi'n rhy oer. Mae'r cynllun yn anobeithiol. O na. O na. O na . . .'

'Nac ydy, siŵr.'

O'r diwedd, dechreuodd Gwenno siarad yn gall. 'Ydy, Mali. Wyt ti ddim wedi sylwi? Mae'r gwresogyddion i gyd ar y gwres uchaf un heddiw.'

Be?! Rhoddais fy llaw ar y gwresogydd o dan y drych. O NA! Roedd o'n ferw boeth. Roedd Gwenno'n iawn, roedd y cynllun yn anobeithiol. Oni bai . . .

'Ti'n tynnu cyrls dy wallt eto, Mali,' sylwodd Gwenno.

'DWI'N GWYBOD,' meddwn i. Hmm . . . cotiau . . . gwresogyddion . . . oer . . ? Ro'n i'n craffu ar yr hen beipen fawr ar waelod y gwresogydd. Roedd y beipen yn mynd ar hyd y wal, yna'n diflannu drwy dwll yn y llawr. Wwww, tybed?!

'Mae gen i gynllun!' meddwn i. 'Rhowch eich poteli dŵr i mi ac ewch â'r Buddug Arall i'r dosbarth. Gadewch y gweddill i mi.'

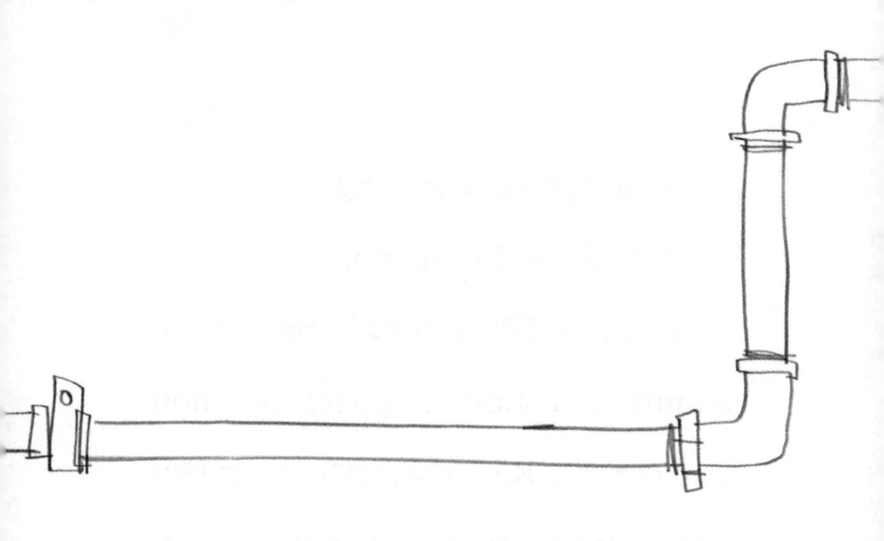

'Ydy'r cynllun yn siŵr o weithio?' gofynnodd Elin yn nerfus.

'Gant y cant, heb os nac oni bai, hollol pollol siŵr,' meddwn i. Gwenodd Elin arna i cyn trotio i ffwrdd, ei phennau gliniau ychydig

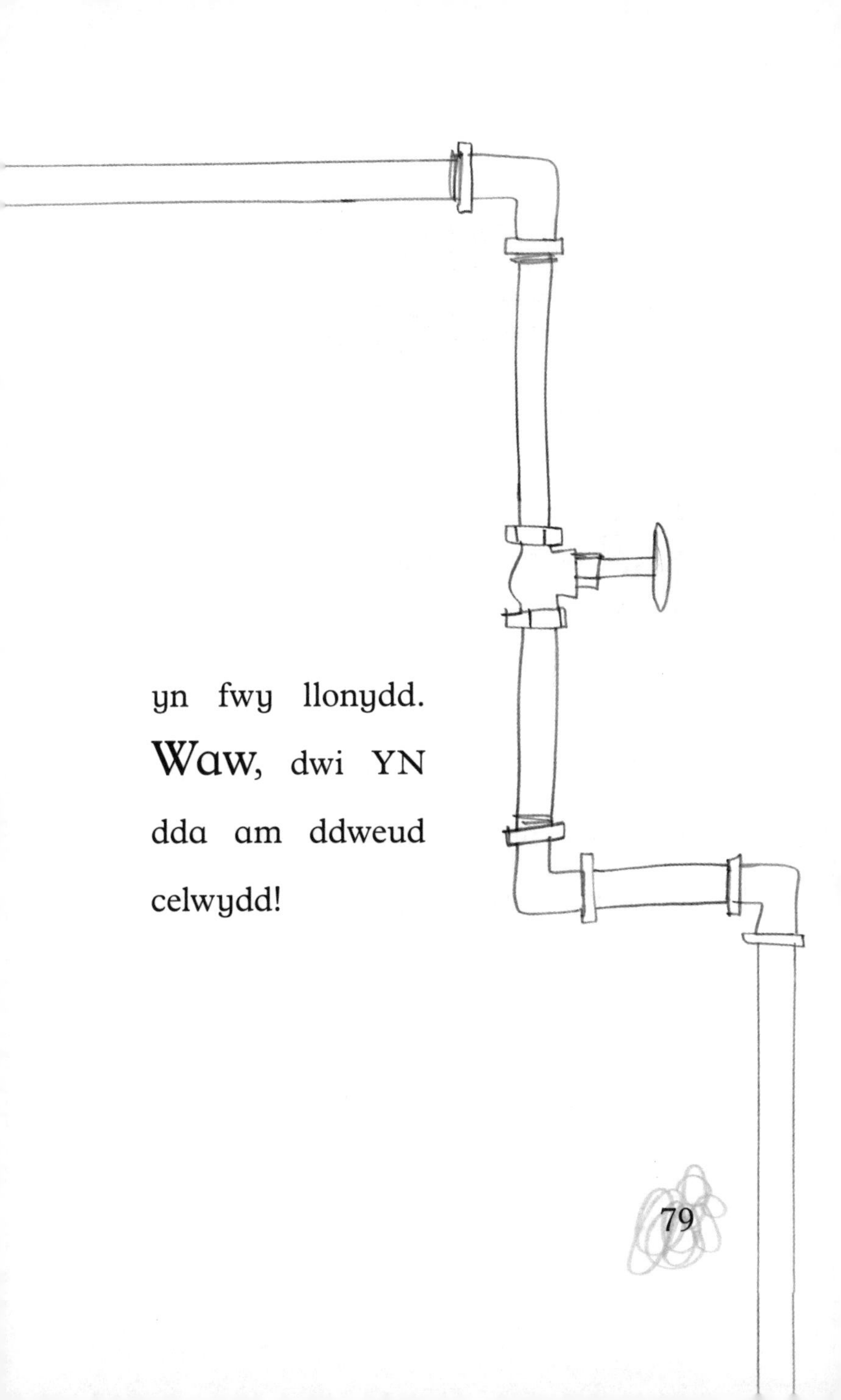

yn fwy llonydd. **Waw**, dwi YN dda am ddweud celwydd!

Pyllau Dŵr Diogel

Roedd derbynfa'r ysgol yn fwrlwm o rieni'n mynd a dod gyda'u 'helô' a 'wela i di wedyn' ac yn gollwng bagiau siopa ar hyd y lle ac yn defnyddio'u pramiau fel ceir clatsho. Welodd neb mo Asiant Mali'n sleifio heibio tuag at y gwresogydd agosaf, a oedd reit wrth ochr desg Miss Besynbod. Fel pob ysgrifenyddes ysgol, dwyt ti ddim eisiau croesi Miss Besynbod, wir i ti. Dim byth!

'Mae'r llythyrau llau pen i gyd ar y bwrdd draw fan'na,' gwaeddodd Miss Besynbod ar draws y dderbynfa. 'Felly os oes angen llythyr arnoch chi, peidiwch â dod yn agos ata i.'

Cyrhaeddais y gwresogydd heb i neb fy ngweld. Plygais, tynnu'r botel ddŵr gyntaf o fy mag, a'i gwagio ar hyd y carped gan greu pwll mawr tywyll. Perffaith! Stwffiais y botel 'nôl i mewn i'r bag a sleifio i ffwrdd unwaith eto heb i neb sylwi, fel cysgod mewn coedwig . . . **WWW!**

Y neuadd oedd y stafell nesaf. Byddai Mrs Boncyff yn dod i gynnal gwasanaeth yno ymhen dim ac roedd yna wresogydd reit wrth ochr y man lle byddai hi'n sefyll. Fel fflach, arllwysais botel

arall o ddŵr ar y carped a dianc ar ras. At y gwresogydd yn y llyfrgell nesaf, yna'r gwresogydd yn y storfa. Erbyn i mi gyrraedd y dosbarth, dim ond un botel o ddŵr oedd gen i ar ôl felly dyma fi'n arllwys y cyfan o dan y gwresogydd wrth ddesg Math tra'n twrio yn fy mag ysgol.

Roedd Gwenno a Teleri'n eistedd wrth eu desgiau a'r Buddug Arall rhyngddyn nhw. Roedd honno'n eistedd gan bwyso yn ei blaen, a'i hwd wedi'i dynnu dros ei thalcen i guddio'i hwyneb. Roedd popeth yn iawn nes i Miss Penchwib ddechrau llenwi'r gofrestr. Ro'n i wedi anghofio am hynny!

'Daniel? Llion? Aled?' Mwmian 'yma' yn ddiog roedd pawb wrth i Miss Penchwib dicio'r bocsys wrth eu henwau. 'Mared B? Teleri?' Edrychodd Miss Penchwib arni'n syn. 'Pam wyt ti'n gwisgo dy gôt, Teleri?'

'Am ei bod hi'n oer,' atebodd Teleri.

'ESGUS-odwch FI?' meddai

COFRESTR

Miss P yn goeglyd. Dwi'n siŵr fod pob athro'n dysgu sut i siarad fel'na yn y coleg. 'Ddoe, roeddet ti'n chwilboeth, a heddiw rwyt ti'n oer?'

Edrychodd Teleri arna i'n flin. Roedd hi'n meddwl 'mod i wedi'i gorfodi hi i ddweud celwyddau. Ocê, efallai 'mod i ar fai. Yna edrychodd Elin arna i fel ei bod hi ar fin crio.

'Mi FYDD hi'n oer,' meddwn i wrth Miss Penchwib. 'Mae Mr Cawdel yn gorfod diffodd y gwres

am fod y gwresogyddion yn gollwng dŵr.’

‘Ddwedodd neb wrtha i,’ cwynodd Miss P.

Ond yna neidiodd Math o’i gadair. ‘Ych!’ gwaeddodd. ‘Mae’r carped yma’n socian!’

Aeth Miss Penchwib draw i gael golwg. ‘O diar, ti’n iawn. Ella fydd raid i bawb wisgo’u cotiau wedi’r cyfan, ond gadewch i mi orffen cofrestru’n gyntaf.’ Dechreuodd ddarllen y rhestr o enwau unwaith

eto. Edrychodd Gwenno arna i fel petai'n gofyn, 'Be wnawn ni pan fydd hi'n galw enw Buddug?' Cwestiwn da.

Pwysais draw at y Buddug Arall a rhoi fy nghlust wrth ei phen balŵn.

'Mared G?' meddai Miss Penchwib, 'Nerys? Elin? Buddug?'

'HA HA HA HA HA!'

Chwarddais yn uchel fel peth gwirion. 'Sori,' meddwn i. 'Mae Buddug yn sibrwd jôcs yn fy nghlust i!'

'Ydy hi wir?' meddai Miss Penchwib gan edrych yn flin. 'Wel, cadw nhw i ti dy hun tro nesaf plis, Buddug,' meddai hi cyn ticio'r bocs wrth enw Buddug ar y gofrestr, yn union fel ro'n i wedi'i gynllunio! 'Leusa? Olwen? A Rhys? Diolch, bawb. Nawr, pwy sydd am fynd â'r gofrestr i swyddfa Miss Besynbod?'

Fel mellten, codais fy llaw i'r awyr. Roedd yn RHAID iddi fy newis i – roedd gen i waith i'w wneud. 'Dwi newydd gofio ’mod i wedi gadael fy llyfr sillafu ym mhoced fy nghôt,’ meddwn i.

‘Wel, well i ti fynd i’w nôl o,’ meddai Miss Penchwib. ‘A cer â’r gofrestr i’r swyddfa ar y ffordd.’

‘Dim problem,’ meddwn i.

Ha Ha! Ro’n i wedi’i thwyllo hi! Ond wrth i mi adael y dosbarth roedd Miss P yn edrych arna i’n od, a dim rhyfedd! Pam ’mod i wedi dweud ’mod i’n mynd i nôl fy nghôt? Ro’n i’n GWISGO fy nghôt! Efallai nad o'n i wedi'i thwyllo hi wedi'r cyfan.

Roedd yn rhaid i mi fod yn fwy gofalus os oedd fy nghynllun am weithio, yn enwedig gan fod y rhan anoddaf ar fin digwydd.

Ymgyrch Frys y Bwced a'r Mop

Erbyn i mi gyrraedd y dderbynfa, roedd brys mawr y bore ar ben ac roedd Miss Besynbod yn llungopïo rhywbeth neu'i gilydd ar gyfer Miss Twtlol. Teflais y gofrestr ar y ddesg cyn pwyntio at y carped gwlyb. 'Pwy sydd wedi gollwng dŵr ar y llawr?'

Ho ho! Cyn i mi allu cymryd fy ngwynt, aeth Miss Twtlol i sefyll wrth y pwll gan ddal ei breichiau led y pen er mwyn rhwystro pawb rhag mynd yn agos ato, er mai dim ond fi a Miss Besynbod oedd yn y dderbynfa. 'Cadwch draw,' cyfarthodd, 'rhag ofn i chi lithro a disgyn a brifo! Miss Besynbod, fedrwch chi drefnu ymgyrch frys y bwced a'r mop?'

Tynnodd Miss Besynbod wyneb

oedd yn dangos yn union beth roedd hi'n ei feddwl am drefnu ymgyrch frys y bwced a'r mop. Rowliodd ei llygaid yn ddiog cyn ymestyn am ei radio bach, ac ochneidio i mewn iddo.

'Mr Cawdel, a wnewch chi ddod i gynnal ymgyrch bwced a mop ar frys yma yn y dderbynfa, os gwelwch yn dda?'

Daeth llais garw Cawdel drwy'r radio bach. 'Pam?'

'Achos mae'n argyfwng!' sgrechiodd Miss Twtlol.

'Achos mae'n argyfwng,' meddai Miss Besynbod i mewn i'r radio bach.

Daeth llais Cawdel drwy'r radio unwaith eto, yn fwy garw y tro hwn. 'Dwed wrthi am sticio'i phen mewn pwdin reis.'

Cochodd Miss Twtlol, ond daliodd i sefyll wrth y pwll gan amddiffyn y byd rhag y carped gwlyb. Efallai ei bod hi'n wirion bost, ond mae hi'n gwneud ei gorau i helpu. Pawb i roi cymeradwyaeth i Miss Twtlol, clap clap – OCÊ, dyna ddigon.

Yn y cyfamser, ro'n i wedi mynd i'r neuadd. Yno, roedd Mrs Boncyff wedi mynnu bod Cawdel yn gorwedd wrth y pwll ac yn archwilio gwaelod y gwresogydd.

'Mae gwresogydd ein dosbarth ni'n gollwng dŵr hefyd,' meddwn i'n gwrtais.

'A'r un yn y storfa,' mwmialodd Cawdel. 'A'r un yn y dderbynfa.'

'A'r un yn y llyfrgell!' meddai Miss Ust, gan sticio'i phen drwy ddrws y neuadd. 'Ro'n i ar fin rhoi gwybod i chi.'

'O diar mi,' meddai Mrs Boncyff. 'Wel, am ddiflas.'

(Sori, mi ddylwn i esbonio mai

Mrs B yw'r brifathrawes – tal iawn, chwarae criced ac yn dueddol o slapio pobl ar eu cefn pan mae hi'n teimlo'n

llawen. Unwaith, fe drawodd ei gŵr ar ei gefn ar ddiwrnod mabolgampau'r ysgol, ac mi hedfanodd ei ddannedd gosod o'i geg a glanio yn y pwll tywod – ha ha!)

'Mae'n rhaid bod rhywbeth yn bod â'r gwres,' meddwn i. 'Well i chi'i ddiffodd.'

'Dyna ddigon, Mali, diolch yn fawr,' meddai Mrs Boncyff. 'Dwi'n siŵr fod Mr Cawdel yn gwybod mwy na ti am y gwres.'

Dechreuodd Cawdel feddwl yn galed. Tapiodd y gwresogydd â'i sgriwdreifer a sychu'r peips â'i glwtyn. Rowliodd ar ei fol ac arogli'r pwll dŵr, yna cododd ar ei eistedd.

'Mae'n debyg bod rhywbeth yn bod â'r gwres,' meddai o'r diwedd. 'Well i mi'i ddiffodd.'

'Gall unrhyw un sy'n teimlo'n oer wisgo'i gôt,' awgrymais.

'Mali, dyna DDIGON!' meddai Mrs Boncyff yn llym. 'Fi sy'n gwneud y penderfyniadau. Nawr cer 'nôl i dy ddosbarth. O, a chofia ddweud wrth Miss Penchwib y gall unrhyw un sy'n teimlo'n oer wisgo'i gôt.'

'Dyna syniad da,' meddwn i. 'Dim syndod mai chi yw'r brifathrawes.'

'Diolch yn fawr,' meddai Mrs Boncyff gan deimlo'n falch iawn ohoni hi'i hun.

Ac ro'n i'n teimlo hyd yn oed yn fwy balch ohonof fi fy hun! Roedd y ddau wedi dilyn y cynllun i'r dim.

Perffaith.

Y Ddelw Ddisglair

Wedi i'r cofrestru ddod i ben ac i bawb gael cadw eu cotiau amdanyn nhw, roedd popeth yn iawn heblaw am un peth – roedd y Buddug Arall yn dipyn clyfrach na'r Buddug go iawn.

Dechreuodd Miss Penchwib y bore gyda phrawf sillafu. Roedd Gwenno

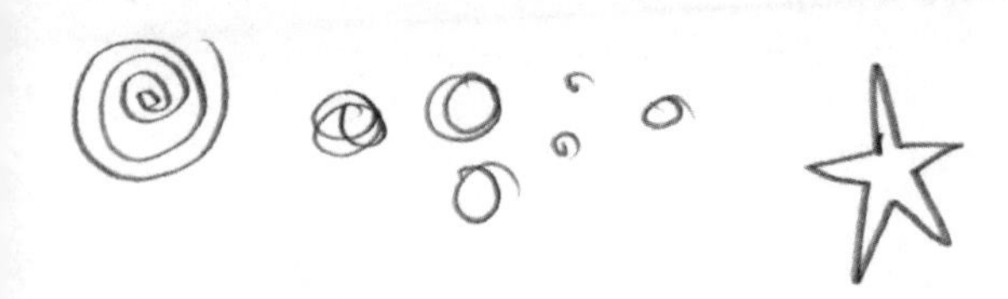

a Teleri wedi agor llyfr Buddug, a'i roi ar y ddesg o flaen y Buddug Arall. Mae Gwenno'n ofnadwy o dda am sillafu, felly yn slei bach ysgrifennodd yr atebion i gyd yn llyfr Buddug wrth iddi gwblhau ei phrawf ei hun.

Celf oedd y wers nesaf, sef arbenigedd Teleri. Roedd raid i bawb dynnu llun o'r jyngl, yna ar ddiwedd y wers casglodd Miss P y lluniau i gyd ac edrych drwyddyn nhw. 'Dwi'n hoffi dy lun di o'r eliffant, Teleri,' meddai Miss Penchwib. 'O,

ond edrychwch ar hwn!' Dangosodd lun anhygoel o deigr mewn coeden uchel. 'Pwy wnaeth yr un yma?' Yn slei, cododd Teleri fraich y Buddug Arall yn uchel i'r awyr. 'Da iawn, Buddug!' meddai Miss Penchwib. 'Rwyt ti'n gallu tynnu lluniau gwych, hyd yn oed wrth wisgo menig!'

Amser egwyl oedd nesaf ac aeth pawb allan i'r iard. Rhoddais i a Teleri ein breichiau o dan ysgwyddau'r Buddug Arall er mwyn gwneud iddi edrych fel ei bod hi'n cerdded. Daeth

Gwenno ac Elin i sefyll o'n blaenau ni fel bod neb yn gallu gweld ei thraed hi'n llusgo ar hyd y llawr. Eisteddodd y criw i gyd ar y fainc a'r Buddug Arall yn ein canol ni.

'Rhifedd sy nesaf,' meddai Gwenno. 'Ydy pawb yn barod ar gyfer prawf tabl chwech?'

'Chwech pedwar yw dau ddeg pedwar,' meddai Elin. 'Hwnna yw fy hoff un i achos mae'n odli, bron iawn. A chwech chwech yw tri deg chwech, sy'n odli hyd yn oed yn well! Ac wedyn chwech wyth yw pedwar deg wyth, felly mae hwnnw'n odli hefyd.'

Cynigodd Elin sgrifennu'r atebion ar brawf tablau Buddug. Ia-hŵ – amdani, Elin! Ar ôl y prawf rhifedd roedd yr awr ddarllen ddistaw, yna ar ôl cinio roedd hi'n amser troi at brosiect hanes y dosbarth. Ro'n i'n siŵr fod popeth am weithio'n berffaith ond yna . . . AAAA, PANIG PANIG! Pwy welais i wrth giatiau'r ysgol ond y Buddug go iawn yn codi llaw arna i!

Rhedais draw ati. 'Symud, y twmffat, cyn i rywun dy weld di!'

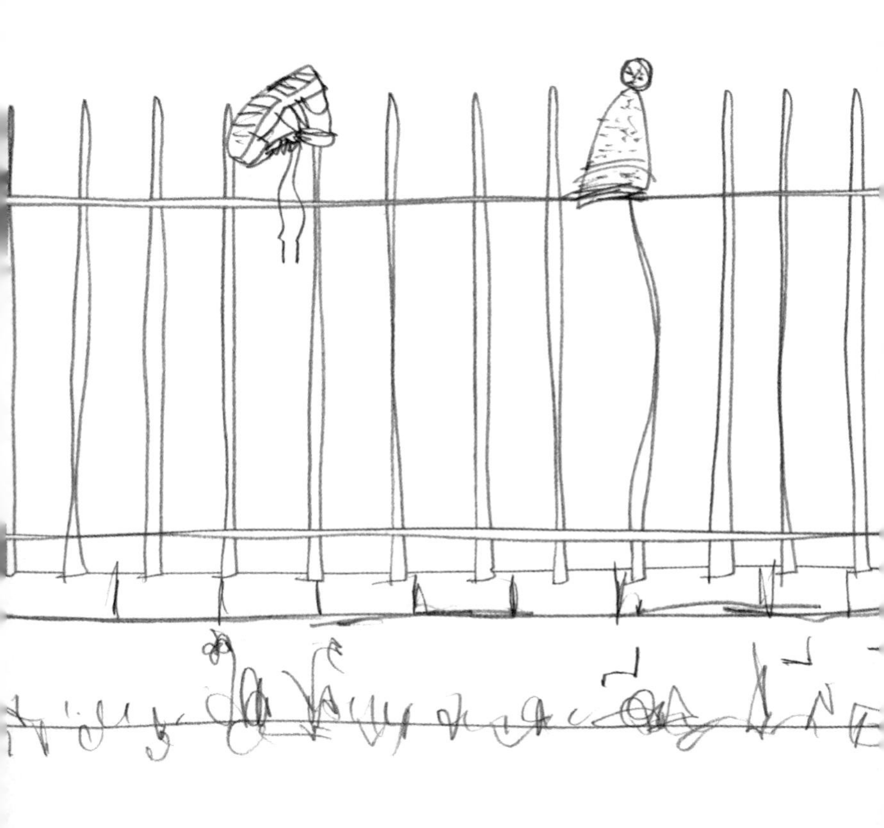

Rhedodd y ddwy ohonon ni gyda'r ffens cyn cyrraedd y wal uchel ar gornel yr iard. Cuddiodd Buddug yr ochr arall i'r wal, a dechreuodd y ddwy ohonon ni sibrwd.

'Pam ydw i'n cuddio?' gofynnodd.

'Achos dy fod ti yma'n barod!' meddwn i gan bwyntio at y Buddug Arall oedd yn dal i eistedd ar y fainc yn ei chôt lachar smotiog. 'Ro'n i'n meddwl dy fod ti'n sâl!'

'Dwi'n well rŵan,' gwenodd Buddug, 'Mae'n rhaid i Mam fynd

allan felly mae hi'n dod â fi i'r ysgol ar ôl cinio.'

'Ond fedri di ddim cerdded i mewn i'r dosbarth os wyt ti'n eistedd wrth dy ddesg yn barod!' meddwn i wrthi. 'Pan fyddi di'n dod i'r ysgol, bydd raid i ti guddio yn y toiledau.'

'Be, drwy'r prynhawn?'

'Paid â 'meio i,' atebais. 'Oni bai am dy bitsa pîn-afal, nionyn picl ac octopws di . . .' Dechreuodd wyneb Buddug droi'n wyrdd eto – doedd hi'n dal ddim yn teimlo gant y cant.

'O'r gorau 'te,' meddwn i. 'Pan fyddi di'n cyrraedd, cer i'r toiledau ac mi wna i drio dy gyfnewid di am y Buddug Arall. Ond cer adre rŵan, cyn i rywun dy weld di.'

Ar ôl amser egwyl, llwyddodd Elin i gwblhau prawf rhifedd Buddug. **Gwych!** Hanner ffordd drwy'r prawf, sibrydodd Elin yn fy nghlust:

'Y prawf rhifedd 'ma ydy'r peth MWYAF cyffrous dwi wedi'i wneud yn fy MYWYD.'

Wa-hŵ, AMDANI, ELIN! Ar ôl rhifedd roedd hi'n amser darllen felly mi osodais lyfr mawr o flaen y Buddug Arall. Am un eiliad hapus ro'n i'n barod i ymlacio ond . . .

Roedd Miss Penchwib yn eistedd wrth ei desg yn marcio'r profion rhifedd. Roedd hi'n gwneud synau bach od fel 'mm' ac 'aa', ond yna mi ddwedodd hi 'www!'

Craffodd Miss Penchwib ar y papur o'i blaen, yna dwedodd 'www!' eto. Y tro hwn, cododd ei phen a syllu ar

y Buddug Arall. O'r diwedd, cododd yn araf a cherdded ar draws y stafell tuag ati. Roedd yn rhaid i mi'i stopio, felly neidiais ar fy nhraed er mwyn mynd i nôl llyfr newydd o'r silff gan sefyll reit o'i blaen.

'Sori,' mentrais. 'Ydy popeth yn iawn?'

'Mae Buddug yn edrych yn wahanol heddiw,' meddai Miss Penchwib. 'Ac mae ei llawysgrifen hi'n wahanol.'

'Ydy hynny'n broblem?' gofynnais.

'Wel, ddim felly,' meddai Miss Penchwib. 'Ond mae hi wedi cael marciau llawn yn ei phrofion i gyd heddiw.'

'Mae'n siŵr fod hynny am eich bod chi'n athrawes mor dda,' meddwn i, ond weithiodd hynny ddim y tro hwn.

'Diolch, Mali,' meddai Miss Penchwib. 'Ond os yw hi'n cael marciau mor heddiw, pam nad yw hi'n gallu darllen?'

'Ddim yn gallu darllen?'

'Mae hi wedi bod yn edrych ar y

llyfr yna drwy'r wers, heb sylwi'i fod o *â'i ben i lawr.*'

O na! Trychineb! Ond cododd Gwenno ei llaw yn sydyn. 'Dwi'n darllen fy llyfr i â'i ben i lawr hefyd,' meddai hi. 'Dyma'r steil newydd o ddarllen.'

'Fi hefyd!' chwarddodd Elin. Roedd hi'n dod i arfer â'r celwydd erbyn hyn.

'Hi fefyd,' meddai Teleri. 'Wps, fi hefyd.'

Erbyn i Miss Penchwib edrych o'i chwmpas, roedd y merched i gyd wedi troi eu llyfrau a'u pennau i lawr, ac roedd rhai o'r bechgyn wedi ymuno yn yr hwyl hefyd. Wrth gwrs, mi fyddai'r rhan fwyaf o athrawon wedi amau fod rhyw ddrwg yn y caws, ond os wyt ti'n treulio bob nos Sul yn penderfynu pa liw i'w roi yn dy wallt, fel Miss Penchwib, does 'na ddim llawer o bethau'n mynd i dy boeni di. Aeth Miss Penchwib yn ôl at ei desg yn dawel.

'Ry'ch chi i gyd yn hurt bost,' meddai hi wrth eistedd i lawr a dechrau marcio unwaith eto. 'Pob un ohonoch chi. Hurt. Bost.'

Chwarae teg i Miss Penchwib. Fe fydd hi'n athrawes arbennig o dda un diwrnod.

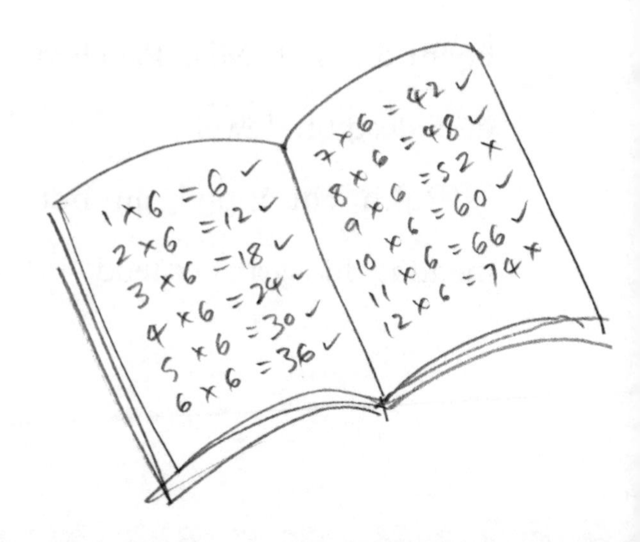

Buddug Arall yn Rhoi ei Throed Ynddi

Amser cinio, daeth y Buddug Arall draw aton ni yn y neuadd – ha ha – doedd ganddi ddim llawer o ddewis, nag oedd? Anghofiodd Elin, druan, mai pen balŵn oedd gan y Buddug Arall, a

phasiodd hanner ei brechdan iddi gan aros am oesoedd yn disgwyl iddi ei chymryd o'i llaw.

'Be ti'n neud?' holodd Gwenno.

'Wps, sori!' meddai Elin gan gochi at ei chlustiau. 'Mae Buddug o hyd yn fy helpu i orffen fy nghinio – dyma dwi'n arfer ei wneud.'

'Dwi ddim yn meddwl fod y Buddug Arall yn llwglyd!' chwarddodd Gwenno.

Tra oedd y gweddill yn gorffen eu cinio, gwibiais o'r neuadd i weld a

oedd y Buddug go iawn wedi cyrraedd. Doedd hi ddim yn y dderbynfa felly draw â fi i'r toiledau ond doedd dim sôn amdani, felly es i gyfarfod y criw yn yr iard. Roedd pawb wedi mynd 'nôl i eistedd ar y fainc gyda'r Buddug Arall, ond roedd Gwenfair Crach wedi ceisio gwthio'i hun i'w plith hefyd. Roedd Delyth, ei ffrind a bwli'r ysgol yno hefyd, er nad yw'r ddwy ddim yn ffrindiau go iawn. Maen nhw'n byw a bod gyda'i gilydd am nad oes neb arall yn eu licio nhw.

‘Does ’na ddim lle,’ meddai Gwenno gan afael yn dynn yn y Buddug Arall i wneud yn siŵr nad oedd hi’n llithro oddi ar y fainc.

‘Ry’ch chi’n meddwl bo’ chi’n well na phawb achos y trip ’ma, yn dy’ch chi,’ gwawdiodd Gwenfair.

‘Gad lonydd i ni, wnei di?’ meddai Elin yn ddewr – da iawn, Elin!

‘Ww, edrychwch pwy sy’n trio’n rhoi ni yn ein lle!’ meddai Gwenfair. ‘Pam ddylen ni wrando arnat ti?’

‘Ia, pam ddylen ni?’ chwarddodd

Delyth gan drio tynnu Gwenno oddi ar y fainc gerfydd ei braich. Aeth Gwenno'n wyllt braidd gan chwifio'i breichiau a'i choesau fel melinau gwynt, felly trodd Delyth at Teleri a mynd amdani, ond cafodd slap ar ei harddwrn. Wa-hŵ! AMDANI, TELERI! Yna plygodd Delyth i lawr a thynnu'r Buddug Arall gerfydd ei throed, ond doedd 'na ddim troed, dim ond esgid wedi'i chlymu i waelod pâr o drowsus. Roedd Delyth yn meddwl ei bod hi'n tynnu Buddug oddi ar y fainc ond daeth yr esgid yn rhydd a disgynnodd Delyth yn fflat ar ei phen-ôl a'r esgid yn dal yn ei llaw – **ha ha!**

'CWYD!' cyfarthodd Gwenfair.

'Ond mae ei throed hi wedi dod yn rhydd,' ebychodd Delyth.

'Gad i mi weld,' meddai Gwenfair gan gipio'r esgid oddi wrthi. Sleifiais ati mor ddistaw ag y medrwn gan drio fy ngorau i'w chipio 'nôl ond fe sylwodd Gwenfair arna i a rhedodd i ffwrdd. Doedd gen i ddim gobaith mul o'i dal hi am fod ganddi goesau fel jiráff.

Roedd Delyth wedi cael ei gadael ar ôl, ac roedd hi'n dal i syllu'n

gegrwth ar y Buddug Arall a'r papur newydd oedd yn sticio allan o waelod ei throwsus. 'Nid Buddug yw hi, nage?' gofynnodd Delyth. A chyn i unrhyw un allu ateb, rhedodd i ffwrdd gan weiddi, 'Dwi'n mynd i ddeud wrth Gwenfair!'

Roedd Miss Penchwib wedi dod i'r iard er mwyn canu'r gloch ar ddiwedd amser cinio, felly'r unig beth call i'w wneud oedd mynd â'r Buddug Arall yn ôl i'r dosbarth mor gyflym ag y gallen ni. Byddai pawb yn y dosbarth wedi clywed yr hanes erbyn i wersi'r prynhawn gychwyn. Doedd dim i'w wneud ond gobeithio y byddai'r Buddug go iawn yn cyrraedd cyn i'r athrawon gael gwybod y gwir. Croesi bysedd!

Tamaid o'r Tuduriaid

Erbyn i ni gyrraedd y dosbarth, roedd hyd yn oed y bechgyn wedi clywed beth oedd wedi digwydd. Ro'n nhw'n cael hwyl fawr, ond yn trio cadw'r gyfrinach am eu bod nhw hefyd eisiau mynd i weld y mymïaid. Roedd y rhan fwyaf o'r dosbarth yn dal i wisgo'u cotiau, gan gynnwys y Buddug Arall a'i

chôt smotiog, lachar. Y newyddion da oedd bod Miss P wedi cau bleindiau'r ffenest fel bod y dosbarth yn dywyllach, ac roedd y pen balŵn wedi'i guddio i'r dim. Y newyddion gwell oedd bod Miss P wrthi'n brysur unwaith eto'n trio defnyddio'r bwrdd gwyn electroneg.

'Amser bwrw iddi, blantos,' meddai Miss Penchwib. 'Y prynhawn 'ma ry'n ni am ddysgu am y Tuduriaid.'

Gwych! Ry'n ni'n hoffi'r Tuduriaid am fod 'na lot o waed a dienyddio a phennau'n rowlio ar hyd y lloriau. 'Wawî!' Am deulu cyffrous! Y dyddiau yma, dim ond codi llaw mae'r frenhines yn ei wneud wrth adael y palas a dwi'm yn meddwl fod ganddi fwyell, felly dydy hi ddim yn gallu dienyddio ei gelynion. Diflas iawn.

Beth bynnag, pwysodd Miss P fotwm bach ar ei chyfrifiadur a daeth *Y Tuduriaid* mewn llythrennau bras ar y sgrin. Mi gafodd hi glap fawr gan y dosbarth achos mae hi wastad

yn stryffaglu gyda thechnoleg. Gwenodd Miss P a dweud, 'Brenin cyntaf y Tuduriaid oedd **Harri'r Seithfed** yn 1485.' Wel wel, diddorol iawn. 'Reit, pwy sy'n gallu dweud wrtha i pwy yw hwn?' Cliciodd y botwm ar y llygoden.

'**Harri'r Wythfed**!' gwaeddodd pawb fel côr. Ry'n ni'n hoffi hwnnw achos roedd ganddo chwe gwraig, sy'n reit dda am ddyn tew oedd yn licio gwisgo teits.

'Da iawn!' Dechreuodd Miss P

ymlacio, a'r eiliad nesaf, digwyddodd y darn gorau. Cliciodd y llygoden unwaith eto. 'A phwy sy'n gallu dweud wrtha i pwy yw *hwn*?'

Ha ha ha ha ha ha!

'Dafydd, eich cariad chi, Miss, yn gwisgo siorts doniol ac yn bwyta hufen iâ!'

'Waaaa!' meddai Miss Penchwib gan gochi. Symudodd y llygoden a'i chlicio drosodd a throsodd nes daeth triongl gwyrdd ar y sgrin oedd yn dweud ei fod yn mesur 5cm ar hyd

y top – DIFLAS – wedyn daeth map mawr o Gaerdydd, ac wedyn llun neis iawn o Dafydd a Miss P yn cusanu. WID-A-WIW! Heb rybudd, aeth y bwrdd gwyn yn ddu achos bod Miss P wedi cael panig ac wedi pwyso'r botymau i gyd ar unwaith. 'O diar, dyna biti – mae o wedi torri,' meddai hi. 'Dim ots, mi wnawn ni i gyd actio bod yn Duduriaid yn lle hynny.'

Actio bod yn Duduriaid? Gwych! Roedd Miss P wedi dod o hyd i

ddrama am y Tuduriaid o'r enw Harri'r Tudur Budr. Math oedd yn cael actio rhan Harri'r Wythfed a Llion oedd y dienyddiwr doniol.

'Pwy sydd eisiau chwarae rhan un o wragedd Harri?' gofynnodd Miss Penchwib. Saethodd Gwenno ei llaw i'r awyr.

'O ia waw fi plis waw ia plis fi ia waw plis ga i plis plis plis?'

'CEI, MI GEI DI, GWENNO!' meddai Miss Penchwib, am mai cytuno oedd yr unig ffordd o gau

ei cheg hi. 'Gei di fod yn Catrin o Aragon. A Buddug, chdi fydd Anne Boleyn.'

Y foment honno, sylwodd pawb fod Gwenno wedi bod yn gafael yn llaw'r Buddug Arall er mwyn ei chadw rhag siglo, ac wrth godi'i llaw roedd Miss P wedi gweld llaw Buddug yn codi hefyd. O diar. Gallai hyn fod yn broblem.

Hanes Hurt y Frenhines Buddug

Os wyt ti'n gwybod unrhyw beth am hanes **Harri'r Wythfed**, rwyt ti'n gwybod ei fod wedi dienyddio Anne Boleyn â bwyell anferth. (Os oes 'na le ar ddiwedd y

llyfr, mi ddweda i wrthot ti am Harri a'i wragedd achos mae'n ddiddorol iawn ac mae'n dienyddio'i wraig ddwywaith. Ddim yr un wraig, siŵr iawn, **ha ha!** Un o'i wragedd eraill oedd yr ail un, ond mi drodd y ddwy yn ysbrydion! Cŵl, 'de? Ti'n siŵr o fwynhau'r stori.)

Roedd Llion yn gyffro i gyd am ei fod yn cael dienyddio rhywun. 'Dwi ar binnau!' meddai. 'Ond sut ydw i fod i ddienyddio Anne Boleyn yn y ddrama?'

'Gyda hwn!' meddai Miss Penchwib gan ddadorchuddio'r fwyell leiaf a welais i erioed. *Ta-da!* Miss P oedd wedi dod o hyd iddi yn y stordy, ac roedd wyneb Llion yn bictiwr. Roedd wedi disgwyl cael defnyddio bwyell fetel enfawr, ond roedd hon tua maint llwy de ac wedi'i gwneud o blastig aur, meddal. Tasa Harri'n berchen ar fwyell mor druenus â hon, fasa 'na ddim angen dienyddio Anne o gwbwl achos mi fasa hi wedi marw'n gelain drwy chwerthin.

Rhoddodd Miss P y fwyell i Llion yn ofalus er mwyn iddo gael ymarfer ei chwifio hi. Roedd pawb yn ei wylio heblaw amdana i. Ro'n ni'n trio meddwl beth ar wyneb y ddaear fyddai'n digwydd pan fyddai'r Buddug Arall yn cael ei dienyddio. Doedd dim amdani ond dal i fynd a chroesi fy mysedd.

Roedd pawb arall yn edrych ar Llion, felly es i a Gwenno draw at y Buddug Arall a'i phlygu dros y bwrdd, fel bod ei phen yn hongian

dros yr ochr. Roedd hi'n edrych yn union fel Anne Boleyn ar fin cael ei dienyddio, yn enwedig os oedd Anne yn gwisgo côt las â smotiau melyn. Falle ei bod hi, pwy a ŵyr? Does neb yn dweud pethau pwysig fel'na yn y llyfrau hanes.

'Mae Anne Boleyn yn barod,' meddai Gwenno.

'Diolch, Catrin o Aragon,' meddai Miss Penchwib ac mi chwarddodd pawb, er nad oedd o'n ddoniol iawn.

Roedd y bleindiau'n dal ar gau

ac er mwyn gwneud ychydig o sioe, plygais at ben y Buddug Arall a dweud wrth y balŵn, ‘Paid â phoeni, mi wnawn ni’n siŵr nad wyt ti’n cael dy ddienyddio go iawn. Ond cofia di orwedd yn llonydd fel delw!’

O leiaf ro’n i’n siŵr fod y Buddug Arall yn gallu gwneud hynny heb drafferth!

Gwnaeth pawb gylch o gwmpas y ddesg wrth i Llion gerdded yn urddasol tuag at y Buddug Arall. Cododd y fwyell uwch ei ben yn barod i'w dienyddio a sticiodd Miss Penchwib bapur o flaen trwyn Math er mwyn iddo ddarllen ei ddarn.

'Anne Boleyn, rwyt ti'n EUOG,' meddai Math mewn llais mawr, brenhinol. Gwaeddodd pawb HWRÊ, GWYCH A GWALLGO, ANHYGOEL. 'Dienyddiwr, gwna dy waith.'

'STOP!' Daeth llais uchel o gyfeiriad y drws.

'Miss Twtlol?' meddai Miss Penchwib. 'Sut alla i'ch helpu chi?'

Martsiodd Miss Twtlol yn syth at Llion, a chymryd y fwyell fach blastig oddi arno. Gafaelodd ynddi hyd braich, fel petai'n rhyw hen hosan ddrewllyd.

'Dod yma oeddwn i i adael i chi wybod mai fi fydd yr aelod o staff ychwanegol ar y trip yfory. Ond fydd dim trip o gwbwl os mai fel hyn ry'ch chi'n ymddwyn yn y dosbarth, Miss Penchwib.'

Wel, am ddiflas! Fyddai'r trip ddim yn hwyl o gwbwl pe byddai Miss Twtlol yn dod gyda ni.

'Ond dim ond tegan bach plastig ydy o,' protestiodd Miss Penchwib.

'Fedrwn ni ddim cael offer peryglus yn y dosbarth,' cwynodd

Miss Twtlol gan roi'r fwyell yn ofalus yn nwylo Miss Penchwib. 'Ewch â hi 'nôl i'r storfa ar unwaith. Yn y cyfamser, mi wna innau greu rhywbeth mwy addas i'w ddefnyddio.'

Doedd Miss Penchwib ddim yn hapus o gwbwl, ond Miss Twtlol oedd y ddirprwy brifathrawes felly roedd yn rhaid iddi wrando arni. Unwaith i Miss Penchwib ddiflannu, gwnaeth Miss Twtlol i bawb sefyll o'r neilltu wrth iddi ddod o hyd i ddau ddarn o gardfwrdd tenau. Rowliodd un er mwyn gwneud tiwb gan lapio tâp amdano i'w ddal yn ei le. Yna torrodd siâp y llafn o'r darn arall, a'i sticio ar un pen i'r tiwb. Edrychodd arno'n falch.

'Dyma chi, blantos. Hollol ddiogel, ac mae'n edrych yn union fel bwyell go iawn.' Wrth iddi siarad, plygodd y tiwb tila ac aeth yr holl beth yn llipa fel banana frown. Ha ha ha ha ha!

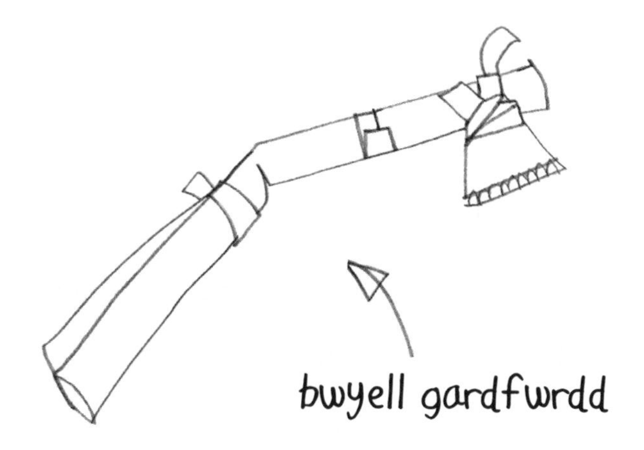

'Fedra i ddim defnyddio hon,' meddai Llion yn siomedig.

'Lol botes, mae'n berffaith,' meddai Miss Twtlol. 'Mi ddangosa i i ti.'

Dechreuodd Miss Twtlol gerdded draw ata i a Gwenno. Fodfeddi i ffwrdd, roedd y Buddug Arall yn gorwedd dros ochr y ddesg. **O diar, panig, panig!** Petai Miss Penchwib wedi sylwi nad Buddug oedd y Buddug Arall, fyddai hi ddim yn ddiwedd y byd, ond beth petai Miss Twtlol yn sylwi? Waaa! Roedd Gwenno wedi cau ei llygaid yn dynn ac wedi croesi pob un o'i bysedd, ac roedd hi'n mwmian rhywbeth yn ofnus o dan ei gwynt.

'Ydy hi'n iawn?' gofynnodd Miss Twtlol gan bwyntio at Gwenno gyda'r fwyell lipa.

'Mae . . . mae . . . ym . . . mae ofn y fwyell arni!' meddwn i.

'Wir?' gofynnodd Miss Twtlol. Roedd hi wedi'i synnu; wedi'r cyfan, ei bwyell hi oedd y peth mwyaf tila yn y byd, ond beth arall fedrwn i ei ddweud?

'Wir. Mae'n union fel bwyell go iawn. A dweud y gwir, ella fyddai hi'n well stopio'r ddrama. Gawn ni wers Fathemateg yn lle hynny?'

Gwgodd pawb arna i fel petawn i'n bâr o sanau drewllyd.

'Paid ti â phoeni,' meddai Miss T. 'Mae Buddug yn hollol ddiogel, cyn belled â'i bod hi'n aros yn llonydd.' Cododd hi'r fwyell i'r awyr.

'Ti'n gweld, Llion?' meddai hi. Yn araf deg, daeth â'r fwyell i lawr cyn stopio modfedd uwchben gwar y Buddug Arall. 'Dyna'r cyfan sydd ei angen, does dim angen cyffwrdd â'r corff o gwbwl. Hollol ddiogel.'

A'r eiliad honno, digwyddodd rhywbeth. Perffaith!

Plygodd y fwyell unwaith eto, a'r tro hwn, disgynnodd y llafn cardfwrdd reit ar gefn yr hwd glas a melyn gan daro'r pen balŵn i'r llawr. Roedd Miss T yn edrych fel petai wedi cael llond bol o ofn. Camodd yn ei hôl gan faglu ar goes y gadair, a disgynnodd ei sbectol ar y llawr. Rhwbiodd ei llygaid, yna syllodd ar y balŵn. Roedd hi'n meddwl yn siŵr mai pen Buddug oedd yn bownsio ar hyd y llawr fel swigen fawr sgleiniog.

'RY'CH CHI WEDI DIENYDDIO BUDDUG!' gwaeddodd pawb.

'Beth . . . sut . . . pam . . ?' Agorodd Miss T ei cheg fel petai'n trio dal pry, ond yna aeth pethau hyd yn oed yn well achos fe ddechreuodd y balŵn godi tua'r nenfwd, yn union fel swigen. Roedd Miss T yn dal i feddwl mai pen Buddug oedd yn siglo i fyny ac i lawr yn yr awyr ac yn syllu arni o'r to.

'Waaa! Na . . . beth sy'n digwydd?!' sgrechiodd Miss T.

A'r eiliad honno, glaniodd y balŵn ar y bylb golau poeth gan ffrwydro.

'MAE PEN BUDDUG WEDI FFRWYDRO!' gwaeddodd pawb yn y dosbarth.

Aeth Miss T yn benysgafn, gan lewygu a glanio'n un swp ar ben Math – ha ha! Wrth i bawb drio bwrw golwg iawn arni, cydiais yn llawes Gwenno a'i llusgo i'r coridor. Roedd gen i syniad, ond roedd yn rhaid gweithio fel fflamiau!

Ysbryd Anne Boleyn

'Be sy be sy be sy be sy?' gofynnodd Gwenno. Roedd hi wedi mynd yn wallgo ers i'r balŵn ffrwydro.

'Mae'n rhaid i ni nôl rhywun i helpu Miss Twtlol,' meddwn i. 'Wel, mae'n rhaid i *ti* fynd. Welai di 'nôl fan hyn.'

'Ble ti'n mynd?' gwaeddodd Gwenno ar fy ôl, ond ro'n i wedi diflannu.

Gwibio rasio sgipio sgrapio i ffwrdd â fi.

Cael a chael oedd hi. Newydd gyrraedd y dosbarth ro'n i pan ddaeth Gwenno i mewn gyda Mrs Boncyff a Miss Penchwib.

'Beth ar wyneb y ddaear sy'n digwydd 'ma?' gofynnodd Mrs Boncyff.

Erbyn hyn roedd Miss Twtlol yn eistedd i fyny, ond doedd hi'n dal ddim yn llawn llathen. Pwyntiodd at y nenfwd yn wan. 'Ei phen hi . . . Clec.' Yna dechreuodd chwilota drwy ei ffolder swmpus er mwyn

dod o hyd i gyfarwyddiadau ar sut i ddelio â sefyllfa ble mae pen disgybl yn codi i'r awyr ac yn ffrwydro.

'Pen pwy? Pa glec?' gofynnodd Mrs Boncyff.

'Pen Buddug,' meddai Miss Twtlol.

'Buddug Puw?' gofynnodd Miss Penchwib, gan edrych tuag at y siâp mawr glas a melyn oedd yn dal i orwedd ar hyd y ddesg. 'Buddug?' meddai Miss Penchwib. 'Wyt ti'n gallu 'nghlywed i?'

Roedd y siâp yn llonydd fel delw.

Aeth Miss Penchwib draw at y ddesg gan afael yn yr hwd. Roedd Miss Twtlol yn cael panig gwyllt. 'Na . . . plis . . . peidiwch!' Ond cododd Miss Penchwib yr hwd, a daeth pen Buddug i'r golwg.

'O, sori,' meddai Buddug. 'Mae'n rhaid 'mod i wedi syrthio i gysgu.'

Chwarddodd y dosbarth i gyd, heblaw am un person.

'Waaa! Ysbryd!' ebychodd Miss Twtlol. 'Mi welais ei phen hi'n ffrwydro!'

Rhythodd y brifathrawes arni. 'Mae'n debyg eich bod chi wedi'i gor-wneud hi. Well i chi gael diwrnod neu ddau o wyliau.'

Felly i ffwrdd â Miss Twtlol. Roedd hi'n edrych yn eithaf simsan a dweud y gwir, ond ro'n i'n teimlo'n ddigon wobli hefyd. Wedi'r cyfan, ro'n i newydd redeg nerth fy nhraed i'r toiledau i chwilio am Buddug, ac roedd hi yno! Mi faswn i wedi bod mewn twll go ddwfn tasa hi wedi anghofio.

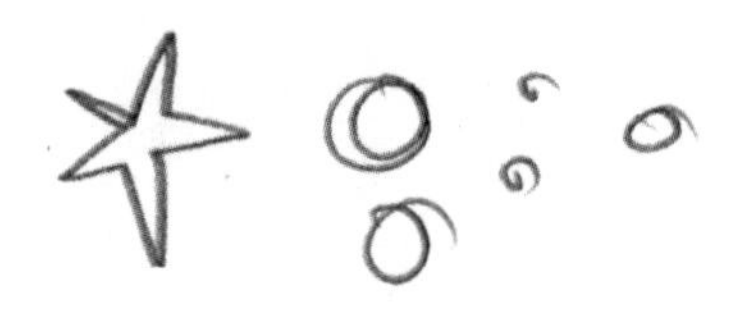

Ond yna roedd gan Mrs Boncyff newyddion drwg. 'Mae'n ddrwg gen i, bois bach. Mi fydd hi'n amhosib mynd ar y trip fory. Mae angen dau aelod o staff. Wel, dyna biti. Mae'r mymïod yn ysblennydd.'

'O na, dyw hynny ddim yn deg! Mi wnaethoch chi addo ac ry'n ni eisiau mynd,' protestiodd Gwenno. 'Fedrwch chi ddim dod gyda ni?'

Ysgydwodd Mrs B ei phen. 'Na fedraf. Mae gen i bentwr o

adroddiadau i'w darllen cyn hanner tymor. Fyddai Miss Besynbod byth yn maddau i mi taswn i ddim yn mynd drwyddyn nhw.'

Ond yna agorodd drws y dosbarth gyda chlep a daeth Delyth a Gwenfair i mewn. Pwyntiodd y ddwy at Buddug gan weiddi, 'Nid Buddug yw honna!' sy'n hollol wirion bost achos roedd pawb yn gallu gweld mai Buddug oedd hi.

Ond doedd dim symud ar Gwenfair. 'Dyma'r dystiolaeth,' meddai hi,

gan osod esgid y Buddug Arall yng nghledr llaw Mrs Boncyff.

'Am beth wyt ti'n sôn, Gwenfair?' gofynnodd Mrs B.

'Mae ei thraed hi'n dod yn rhydd,' meddai Gwenfair. 'Dangos iddi, Delyth.'

Aeth Delyth draw at Buddug gan gydio yn ei throed a gwneud ei gorau glas i'w dynnu'n rhydd. Ar ôl rhyw ddeg eiliad o syllu'n fud, ysgydwodd Buddug ei throed yn ysgafn ac fe syrthiodd Delyth am yn ôl gan lithro'n bendramwnwgl i mewn i goesau jiráff Gwenfair – ha ha!

'Dyna DDIGON,' meddai Mrs Boncyff yn llym.

Sylwodd Gwenfair ei bod hi wedi gwneud reial twmffat ohoni'i hun, felly trodd at Delyth. 'Ddwedaist ti mai dol oedd hi.'

'Dyna oedd hi!' meddai Delyth. 'Wir!'

HA HA HA HA HA!

Cochodd y ddwy at ei chlustiau a brysio o'r dosbarth.

'Beth yn y byd sy'n digwydd yma heddiw?' gofynnodd Mrs Boncyff.

'Mae'r ddwy'n genfigennus am fod ein dosbarth ni'n cael mynd ar drip,' esboniodd Gwenno. 'Ond dy'n ni ddim yn cael trip rŵan wedi'r cyfan.'

A dyna'i diwedd hi. Agorodd Miss Penchwib y bleindiau, ac roedd yn rhaid i ni dacluso'r cadeiriau a'r desgiau i gyd, a nôl ein llyfrau prosiect. Ond roedd Mrs Boncyff yn dal i sefyll yng nghanol y dosbarth. Syllai ar y pwll dŵr o dan y gwresogydd, yna cododd rywbeth oddi ar y llawr. Darn bach o'r balŵn! Roedd ei hymennydd hi'n tician tocian, yna craffodd yn ofalus ar yr esgid oedd yn ei llaw.

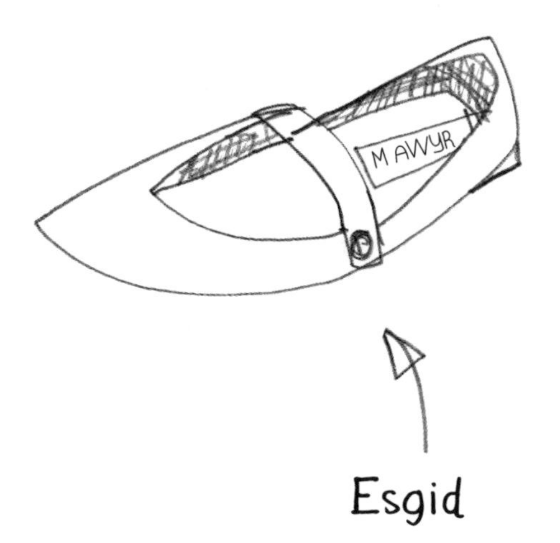

Esgid

O diar, wpsi pwpsi. Wrth gwrs, fy hen esgid i oedd hi ac ro'n i'n meddwl yn siŵr fod fy enw i arni . . .

'Ti sydd biau'r esgid yma, Mali?' gofynnodd Miss Penchwib.

Wel, doedd gen i ddim llawer o ddewis, nag oedd? 'Falle,' meddwn i'n ddiniwed. Ro'n i'n gobeithio y byddai hi'n anghofio amdani, ond wnaeth hi ddim.

'Galw heibio'r swyddfa i'w nôl hi ar ôl ysgol. Mi fydda i angen dy help di.'

Wel, wir! Ond mi fydd raid i ti aros am rai tudalennau cyn cael gwybod beth ddigwyddodd wedyn.

Mymïod a Hufen Iâ

'Dyma arch yr enwog Frenhines Pwmparhech, ac mae hi dros 4,000 o flynyddoedd oed,' meddai Miss Penchwib gan ddarllen y ffeithiau o bamffled. Roedd hi'n sefyll wrth ymyl bocs anferth â wyneb mawr aur arno. Brensiach y bwganod! Roedd y

dosbarth wedi cael mynd ar daith i'r amgueddfa i weld y mymïod wedi'r cyfan. Perffaith!

'Ewch i'r chwith,' meddai Miss Penchwib. 'Nawr 'te, pwy sy'n gwybod beth sy'n cuddio o dan yr holl gadachau?'

Saethodd llaw Teleri i'r awyr. 'Morff carw!'

'Morff carw?' gofynnodd Miss Penchwib.

Ha ha ha ha! Da iawn, Teleri! Ry'n ni'n caru Teleri.

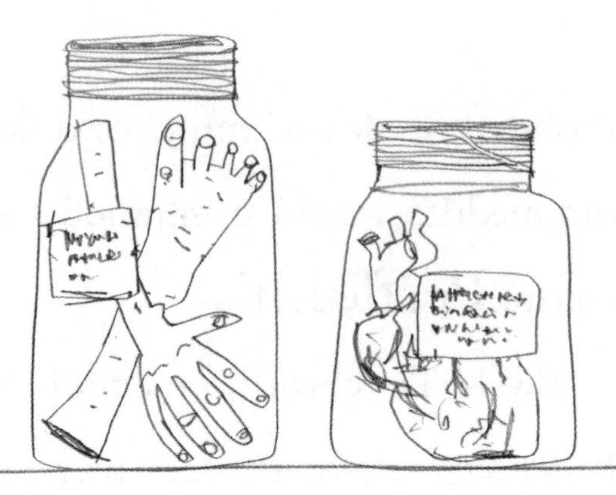

‘CORFF MARW mae hi’n trio’i ddweud,’ esboniodd Gwenno.

‘O diar,’ meddai Miss Penchwib. ‘Dwi’n meddwl bod morff carw yn swnio’n lot neisach.’

Ar ôl y morff carw, fe welson ni

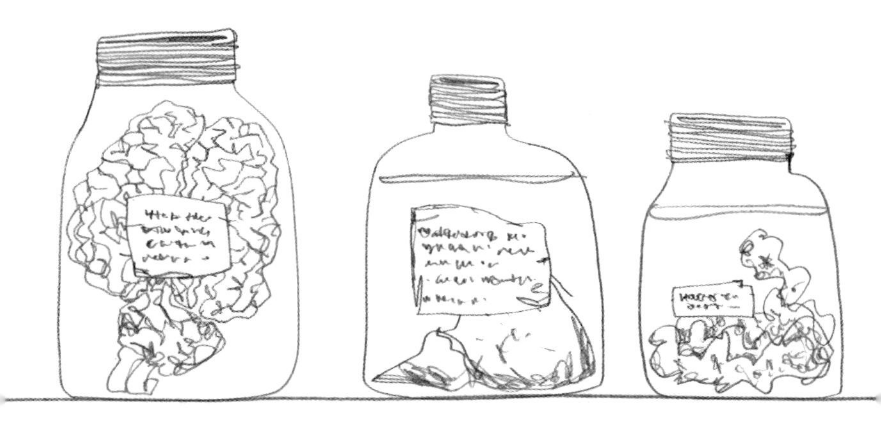

ddelwau dychrynllyd a rhes o botiau a darnau bach o gyrff y tu mewn iddyn nhw, a'r darn gorau oedd y ffilm yn dangos yr Eifftiaid yn tynnu ymennydd allan o drwyn un o'r cyrff marw â bachyn cyn ei lapio mewn clytiau!

RHYBUDD:

PAID â thynnu dy ymennydd allan drwy dy drwyn â bachyn.

Sori, dwi'n gorfod rhoi rhybudd rhag ofn i ti ddweud wrth rywun fod y llyfr yma wedi rhoi syniadau gwirion yn dy ben! Ar ôl i ni weld popeth (a gwylio'r ffilm DAIR gwaith – **wa-hŵ** – roedd hi'n wych), aeth pawb i'r parc o flaen yr amgueddfa ac wedyn mi wnaeth yna rywbeth hyd yn oed gwell ddigwydd. Roedd

’na fan hufen iâ, ac wyt ti’n gwybod pwy brynodd hufen iâ i ni i gyd?

‘Cwbwl haeddiannol, bois bach! Dwi ddim wedi cael cystal hwyl ers oes pys,’ meddai Mrs Boncyff. ‘Ond paid â’i lowcio fo i gyd yr un pryd, Buddug! Fyddi di’n sâl!’

‘Fi? Dwi byth yn sâl,’ meddai Buddug cyn dweud **‘AW!’** achos bod Gwenno wedi’i tharo hi yn ei hochr, a dyna mae hi’n ei gael am ddweud celwydd.

Roedd Mrs Boncyff yn llowcio'i hufen iâ hithau ac roedd hynny mor ddoniol, yn enwedig pan ddwedodd hi, 'Edrychwch, bois bach, mae gan Miss Penchwib ddiferyn o hufen iâ ar ei thrwyn!'

Chwarddodd Miss Penchwib a sychu'r diferyn â'i hances boced, ond nid dyna oedd yn ddoniol. Y peth doniol oedd fod dim syniad gan Mrs Boncyff am y smotyn anferth o hufen iâ oedd ar ei gên hi – ha ha ha!

Roedd hi'n edrych fel delw o ddyn Eifftaidd barfog. Wel wir, roedd yn braf cael Mrs Boncyff ar y trip yn lle Miss Twtlol, ond dwi'n gwybod beth sydd ar dy feddwl di. Sut ar wyneb daear ddaeth Mrs Boncyff ar y trip? Roedd ganddi bentwr mawr o adroddiadau i'w darllen, yn doedd?

Y Diweddglo Dan Glo

Mae'r darn yma i fod yn gyfrinach rhwng Mrs Boncyff a minnau, ond gan dy fod ti wedi darllen y llyfr i gyd, mi gei di wybod rhan o'r stori. Ti'n cofio bod Mrs B wedi gofyn i mi fynd i'w swyddfa hi ar ôl ysgol? Wel rywsut, roedd hi wedi datrys y dirgelwch am

y Buddug Arall, ac roedd hi eisiau i mi'i helpu.

Trwy gydol y trip, roedd Miss Besynbod wrth ei desg yn y dderbynfa yn syllu ar ddrws swyddfa Mrs B. Roedd Mrs B wedi gofyn iddi'n gwrtais iawn i beidio â tharfu arni, ond roedd hi wedi bod yn gweithio am amser hir iawn!

Mae Miss Besynbod yn hynod o fusneslyd, felly wyt ti'n meddwl ei bod hi wedi trio sbecian drwy twll

y clo? (Dwi'n siwˆr ei bod hi!) Wel, mi fyddai hi wedi gweld Mrs B yn eistedd wrth ei desg a'i chefn at y drws, yn darllen pentwr mawr o adroddiadau. Perffaith! Ond sut ar wyneb daear oedd Mrs B yn gallu bod yn yr ysgol ac yn yr amgueddfa yr un pryd?

Dyma gliw i ti. Roedd y Mrs Boncyff yn y swyddfa yn gwisgo côt â choler uchel, a het anferth am ei phen. O ie, a rhywbeth yn ymwneud â balŵn, ond dwi'm yn dweud gair arall, SHHHHH!

Paid â meiddio dweud dim wrth Miss Besynbod! Mae'n saffach o lawer iddi beidio ag amau. Mi wnawn ni adael iddi eistedd wrth ei desg yn fodlon yn gwneud yr . . . ym . . . wel, y gwaith pwysig iawn mae'r ysgrifenyddes yn ei wneud.

Dyna ni, ti newydd gael gwybodaeth **GYFRINACHOL**, felly cofia'i chadw'n saff dan glo! Paid â gadael y llyfr yma mewn siop neu ar fws. A dweud y gwir, mi fuasai'n well i ti ddilyn esiampl sbiwyr pwysig a

straeon hynny i gyd mewn un llyfr neu fe fyddai'r llyfr yr un maint â pheiriant golchi – **ha ha!** Felly, fel y dywedais i, diolch am ddarllen, ta-ta.

bwyta'r llyfr i gyd! O, dyma ni eto . . . RHYBUDD: *Paid â bwyta'r llyfr yma.*

Beth bynnag, dyma ddiwedd y stori a dwi'n gobeithio dy fod ti wedi'i mwynhau. A dweud y gwir, ro'n i am ddweud yr hanes am Cawdel y glanhawr yn bwyta cant a mil o gorn-fflêcs ha ha! A'r tro pan feddyliodd Gwenfair fod Elin yn mynd ar ei gwyliau i'r lleuad, a'r stori am Ifan yn troi'n fadarchen fawr, a lot lot mwy, ond alla i ddim rhoi'r